강변의추억

머리말

나는 겁이 많아서 공포 소설이고 공포 영화를 보지 못한다. 그런데 문득 사람은 왜 공포나 두려움을 느끼는가에 의문이 생겼다.

그것은 어쩌면 우리 안의 무의식이 남모르게 저지르고 싶은 죄에 대한 욕구에 기인하는 건 아닐까 하는 생각에서 이 책을 쓰게 되었다.

귀곡산장의 소복 입은 여자가 칼을 물고 등장하지는 않더라도 남녀 간에 일어날 수 있는 다양한 이야기들에 공포의 요소들을 넣어보았다.

이 책을 읽으며 등골이 오싹한 독자가 있다면야 더할 나위 없이 다행이지만 조금 으스스하다 만다 해도 깊은 양해를 구한다.

저자 씀

지은이

박순영

소설가/전 방송작가/1인출판 <로맹>대표

소설집/웅언의사랑/페이크/엑셀

예술에세이/낭만주의는 페시미즘이다

독서에세이/연애보다 서툰 나의 독서일기

영화에세이/영화에세이

사회심리학/재혼하면 행복할까 개정판, 공저

자기계발/어리바리 나의 출판일기

차례

<그대 가슴에>

이제 두 돌 지난 딸 향이 들판을 뛰어다니는 걸 보면서 영서는 신께 감사를 드린다. 태어날 때만 해도 2kg 도 채 안되는 미숙아로 태어나 인큐베이터에 넣고 먼저 퇴원할 때의 참담함과 안쓰러움을 생각하면 여태 가슴이 아프지만 그래도 저렇게 잘 자라나 오동통한 두 다리로 나비를 잡겠다고 햇살 눈부신 들녘을 종횡무진하는 걸 보면 여간 고마운 게 아닌다.

그 심정은 남편인 기준도 마찬가지인 듯하다.

"넘어져 천천히 뛰어!"라며 아이가 혹시 넘어지기라도 할까 봐 기준은 가서 아이를 데려오려고 엉덩이를 들썩인다. 그런 기준의 팔을 잡으며 그냥 있으라고 영서가 눈짓을 한다. 그러자 기준은 영서의 어깨에 한 팔을 두르고, 까르륵 웃음소리를 내며 나비잡기를 하는 딸에게 다시 시선을 보낸다.

향은 이제 나물류도 제법 잘 먹었다. 처음엔 싫다고 연신 도리질만 해대던 아이가 이제는 시금치, 콩나물도 덥석 받아먹었다. 김치도 물에 씻어주면 오물오물 씹어먹었다.

"우리 향이 동생 만들어주자"라며 기준이 영서의 볼에 자기 볼을 비비며 말했다
"향이 좀 더 크면"
"지금 터울이 딱 좋아"라며 기준은 강하게 어필했다.

그래야 하나....향이도 이제 동생을 볼 때가 됐나, 하고 영서는 곰곰 생각에 빠진다.

그날 밤 기준은 오랜만에 영서를 안았다. "이번엔 아들이면 좋겠어"라고 영서가 가쁜 숨을 몰아쉬며 말했다...

영서가 잠든 걸 확인하고 기준은 잠옷을 걸치고

거실 발코니로 나왔다. 그리고는 환한 달을 보자 조금은 서러운 기운이 몰려 들었다 왜 이러지...

한참 잠들어있던 영서가 눈을 떴을 땐 이미 바깥은 웅성거리고 있었다. 여보, 하고 옆을 보는데 기준이 옆에 없었다. 화장실? 하고 불러보지만 아무 대답이 없다. 그녀는 서둘러 옷을 걸치고 향의 방으로 가본다. 향은 여느 때와 마찬가지로 토끼 인형을 안고 쌕쌕 자고 있다.

조깅을 나갔나,하고 향의 방에서 영서가 나오는데 요란한 요란하게 초인종이 울린다.

네...하고 일단 문을 연 그녀는 아파트 경비원 둘이 난처한 표정으로 서 있는걸 보게된다.

그중 하나가 힘겹게 입을 연다.

"사장님이..."

"네?"

"일단 내려와 보세요"

그 말에 다급해진 영서가 경비원들을 따라 아래층으로 향한다.

기준은 머리에 피를 흘리며 엎드려 쓰러져있다. 영서는 아무 말도 나오지 않는다. 그녀는 떨리는 손을 기준의 코밑에 갖다 댄다. 숨이 멈췄다.

영서가 깨어난 곳은 인근 대학병원 응급실이었다. 기준이 절명한 걸 확인하고 그녀는 그대로 기절해버렸다. 그런 그녀를 경비원들이 응급실로 데려다 놓았다.

영서는 자기 팔에 주렁주렁 매달려있는 링거를 쳐다본다. 내가 왜 여기...하다가 뒤늦게 남편 기준이 죽은 게 떠오른다. 안돼...여보! 하며 그녀가 링거를 빼버리고 침대에서 내려오는데 황급히 응급의가 달려와 그녀를 만류한다. 그때 저만치 문가에서 그녀가 깨어나길 기다리고 있던 경찰 둘이 그녀에게로 다가오는 게 보인다.

기준이 원한 살 일은 없었다. 실족사라기에는 발코니 난간이 높았고 일부러 떨어지지 않는 한은...

경찰은 넌즈시 기준의 여자관계를 물었다. 영서가 아는 한 기준은 결혼 후 한 번도 여자사고를 치거나 덜미를 잡힌 적이 없었다 . 결단코 그런 남자가 아니라고 하다가 그녀가 또다시 정신이 혼미해지자 경찰은 다시 오겠다며 돌아갔다.

기준의 장례를 치르는 내내 영서는 눈물을 흘려댔다. 그리고는 납골묘에 안장하고 나서는 곧바로 혼절해버렸다. 다시 응급실에서 눈을 떴을 때는 옆에서 딸 향이 훌쩍거리고 있었다. 아이를 봐서라도 살라고들 했다. 영서는 아이를 끌어안고 또다시 울었다.

그렇게 한참 만에 돌아온 집안은 엉망이었다. 그 와중에도 영서는 우선 청소부터 해야겠다는 마음에 청소기를 집어 들었다. 그리고는 작동 버튼을 누르는데 말을 듣지 않았다. 배터리가 다 됐는지 확인해

보았지만 그렇지도 않았다. 고장이 났나,하고는 다시 켜봐도 역시 작동하지 않아 그녀는 빗자루로 대강 집안을 쓸었다. 그리고는 새 청소기를 주문하러 폰을 들여다보는 순간 , 처음보는 기준의 사진이 떠있었다. 활짝 웃고 있는 기준의 모습을 그녀는 넋 놓고 쳐다보다 뒤늦게 이상함을 감지하고 다른 앱을 클릭했다. 그러나 모든 앱을 다 눌러봐도 기준의 얼굴만 떴다.

내가 헛것을 보는구나...이럴 수 있다고 했어. 갑작스런 배우자나 친족의 죽음을 당하면 이럴 수 있다고..하지만 시간이 흐르면서 나아진다고..그녀는 폰을 내려놓고 한숨 자기로 한다. 이미 소파에서 잠들어버린 향에게 소파 담요를 덮어주고 그녀가 침실로 들어설 때였다.

조금 전까지 열려있던 침실문이 스르르 그녀 앞에서 닫혀버렸다.

그녀는 자기도 모르게 "여보"하고 소리친다. 그리

고 나자 이미 기준이 저세상 사람이 되었음이 떠올랐다.. 닫힌 문 앞에서 그녀가 돌아서는데 갑자기 손 하나가 불쑥 문을 뚫고 나와 그녀의 팔을 붙든다. 악! 그녀는 비명을 지르며 잡은 팔을 떼어내려 하였지만 그 손의 악력은 대단했다. 그녀의 팔에 찌릿한 통증이 퍼져나갈 때 쯤그 손은 스르르 다시 문 너머로 사라져버렸다.

영서는 닫힌 문을 유심히 살펴보았다. 문은 아무일 없다는 듯이 여전히 그대로였다.

꿈일거야...하고 그녀가 돌아서는데 이번엔 조용히 문이 열린다.

기준씨?

영서는 본능적으로 튀어나온 이 말에 스스로 놀랐다. 그녀는 홀린 듯 방안으로 들어 갔고 그러자 문은 다시 닫혔다.

기준은 그녀를 이끌고 침대로 가서는 나란히 걸터앉았다.

"팔 많이 아팠어?"

"조금...당신은 괜찮아?"

"미안...당신한테 잘해주지도 못하고"

하며 영서가 그의 품에 안겨 울먹였다.

"향이 동생을 봤어 하늘에서"

"아들이야? 당신 원대로?"

"그건 비밀.."하며 기준이 빙긋이 웃는다.

잊지 못할 저 미소...저 미소에 반해서 영서는 친구 해진의 남자였던 기준을 빼았았다. 결혼을 코앞에 둔 둘을 영서는 기어코 갈라놓고 기준과 결혼을 하였다. 그 일로 해진은 정신병동 신세를 지다 결국 스스로 목을 매었다.

"해진이도 봤어 거기서?"

영서가 기준에게 물었다

"우린 좋은 친구가 됐어 이제"

"나는 아직도 용서받지 못한 느낌이야"

그말에 기준은 아무 대답이 없다.

경찰에게는 기준이나 자기나 원한 살 일이 없다고 하였지만 단 한사람, 비록 죽었지만, 그 혼이라도 있다면 해진은 여전히 앙심을 품고 있을 터였다. 해진은 그 일로 이미 들어섰던 아이가 유산되었고 심한 우울증에 시달리다 병동에 감금되었고 결국엔 죽음에 이르렀다.

향은 아무 일 없다는 듯이 여전히 새근새근 잠이 들어있다.

기준이 떠나던 날, 아니 영서가 그의 등을 밀던 그 날처럼 하늘엔 달이 밝다.

그렇게라도 영서는 기준을 영원히 해진으로부터 떼어놓고 싶었다.

"여보 나도 곧 따라 갈게"

그날 밤 영서는 침대에 들며 누워있는 기준에게 속삭였다.

"향이 좀 크면 와"라며 기준이 피곤한지 등을 보이고 모로 돌아눕는다.

그가 살았을 때 이렇게 그의 등을 보고 있자면 영서는 막막하고 불안하기만 하였다. 그의 마음이 변한 거 같아. 저러다 그가 해진에게 가버릴까 봐.

"여보 나 봐"라며 영서가 그를 돌려 눕히는데 그의 얼굴이 텅 비어있다. 눈코입 없는 그의 얼굴에 놀란 그녀가 침대 밑으로 굴러떨어졌다.

"나 피곤하니까 건드리지 마"하고 텅 빈 얼굴의 기준이 다시 모로 돌아눕는다.

그날 밤 영서는 일을 마무리해야겠다는 생각에 부엌에서 식칼을 집어 들고 와서 누워있는 기준을 마구 찔러댔다. 그러자 그의 몸에서는 마치 산 사람처럼 다량의 피가 뿜어져 나왔다. 그걸 보면서 이제야 비로소 기준이 온전히 자신의 것이 되었다고 영서는 느낀다.

납골묘 너머의 기준의 사진을 보며 향이 "아빠"하고 부른다.

향을 안고 있는 영서의 배가 어지간히도 불렀다. 조산기가 있다는 의사의 말에 근래 와서 영서는 통 외출을 하지 않았다. 그걸 보고 이웃들은 아마도 남편 잃은 상심이 커서 그런다고들 생각을 하였다.

갓난장이를 안고 병원을 나서는 영서의 얼굴 위로 뜨거운 여름 해가 쏟아져 내렸다.

사내동생을 본 향은 연신 좋아서 아이의 꼬물거리는 발가락을 만지작거린다.

"아가 아야해.."라고 영서가 말하자

"눈부셔"라며 향이 그 조그만 손으로 손차양을 만든다.

<맨홀>

혜수는 조금 전 카트를 밀면서 자신을 지나쳐 간 여자가 진경임을 단번에 알아본다. 진경은 오른쪽 유제품 코너에 눈을 주며 천천히 그녀를 스쳐 갔다. 아니면 봤다해도 기억을 못하는 건지 모른다... 혜수는 온몸이 뻣뻣하게 굳어 왔다. 이 마트에 온다면 여기 어디 산다는 얘길 수도 있다. 그녀는 호흡이 가빠왔다.

밥을 먹는둥 마는둥 하는 혜수를 남편 우성이 걱정스레 쳐다 본다.

"당신 어디 아파?"

"아냐..."하는데 한숨이 묻어 나온다.

"왜, 뭐 기분 나쁜 일 있나?""

"우리, 딴 데로 이사가자"라는 그녀의 말에 우성은 뭐? 하는 표정이 된다. 이제 이사 온 지 겨우 석 달인데 다른 곳으로 또 옮기자는 아내 혜수의 말이 납득이 가질 않는다.

"당신이 좋아서 온 거잖아 여기로. 서울 같지 않고 전원적이라고.."

"아니, 싫어졌어"라며 그녀는 고개를 떨군다.

왜 하필 진경은 이 동네에 살까? 혹시나 같은 아파트 단지기라도 하면 이 일을 어쩌나?

혜수는 별의별 생각이 다 든다.

남편 우성의 옛 여자. 아니, 어쩌면 현재까지 자기 모르게 이어지고 있을지도 모르는 여자..

남편의 외도로 자신이 겪어야 했던 고통을 떠올리자 먹은 게 다 올라오려 한다. 그녀는 수저를 놓고 재빨리 욕실로 달려가서 변기를 붙들고 한참을 토해 낸다.

"당신 병원 한번 가봐. 위염 재발한 거 같은데"라며 혜수의 등을 두드려 주는 우성을 그녀가 매섭게 노려 본다.

"여보..."라며 그가 말끝을 흐린다.

분명 진경은 자신의 옆 동에서 나왔다. 분리배출을 하고 들어서는데 그녀가 앞서 혜수의 옆 동으로 들어가는 게 보였다. 혹시 같은 단지에라도 살면 어쩌나 하는 불안감은 마트에서 처음 진경을 보았을때부터 스멀스멀 그녀를 덮쳐왔고 그것은 기어코 현실이 돼버렸다.

'같은 단지였어 역시..'라며 그녀는 맥없이 슬리퍼를 질질 끌며 자기 동으로 들어 간다.

그러다 힐끔 곁눈질을 하자 마침 진경도 자신을 보고 있다. 그녀가 기억을 해낸 걸까?

우성과 진경의 애정행각을 수도 없이 말려 봤지만 우성은 아예 혜수에게 이혼까지 요구하였다. 결국 혜수는 정신과 약을 다량 털어 넣었고 응급실에서 눈을 떴다. 그렇게 일단락되었다고 여긴 그 일이 어쩌면 다시 또 일어날지 모른다고 생각하니 혜수는 진저리가 난다.

"이사가 장난이야?"

며칠 계속 다시 이사를 가자는 혜수의 채근에 우성은 결국 버럭 화를 냈다.

"만났구나 벌써..."라는 혜수의 말에 우성은 어리둥

절하다.

"당신들 만나구 있지? 그래서 여기로 온 거지 그 여자?"라고 혜수가 우성을 몰아 세운다.

인근 대형 마트에서 진경을 보았다는 얘기를 하자 우성은 어느새 두 눈을 껌벅이며 믿지 못하겠다는 표정을 짓는다.

"설마..."하고 그는 소파에 털썩 주저앉는다.

"그러니까 가자 이사. 나 두 번은 그 꼴 못본다"라며 혜수는 인근 부동산에 전화를 걸기 시작한다.

그녀가 서너 군데 중개업소에 집을 내놓은 다음에야 우성은 그녀의 손에서 휴대폰을 낚아챘다.

"미쳤어? 설령 그렇다 쳐. 어쩌다 가까이 살게 됐다 해도 그렇다고 집을 옮겨? 당신 제정신이야?"라고 그가 악다구니를 써 댄다.

진경은 아이 등원을 시키고 자기만의 시간을 갖기 위해 아파트 후문 근처의 까페로 향했다. 오랜만에 브런치를 즐기고 싶다는 생각이 들었다. 그리고는 까페 앞에 이르러 유리문을 미는데 문이 열리질 않았다. 안에서는 연인 같은 남녀가 브런치를 먹고 있다. 그런데 문은 열리질 않았다. 자주 오는 까페여서 더더욱 이상하였다. 그래서 진경은 주먹으로 쾅쾅 유리문을 두드려 보았지만 안의 그 누구도 반응하지 않았다. 왜 이러지?

그녀는 온갖 불안한 생각이 몰려 들었지만 간신히 정신을 추스리고 다시 아파트 안으로 들어섰다. 그리고는 자기 동으로 향하는데 저만치서 자신을 향해 걸어오는 누군가 있었다.

"우리 알죠?"

다가온 여자, 그녀 혜수였다. 진경이 그토록 사랑했던 우성의 아내 혜수...

자기에게 매달려 제발 헤어져달라고 애원하며 눈물을 흘리던 그여자 강혜수였다.

진경은 잔뜩 겁먹은 얼굴이 돼서 어찌할 바를 몰라 한다..

"이럴 때 반갑다는 말은 좀 그렇죠?"라는 혜수의 입가에는 조롱의 미소가 번져갔다.

진경은 어떻게든 빨리 이 자리를 벗어나야 한다는

생각에 황급히 몸을 돌려 자기 동 안으로 들어가려 하는데 땅에서 발이 떨어지질 않았다. 두 발은 콘크리트 바닥에 찰싹 달라 붙어 있다. 살려줘.....살려주세요! 하고 두손을 허우적대다 그녀는 눈을 떴다.

꿈...

꿈이라기엔 너무나 생생한 느낌이었다. 그녀는 아무리 밀고 두드려도 열리지 않던 브런치 까페가 떠올랐다. 그래, 꿈이었어...그럴 리가 없지...하고 그녀가 침대에서 내려오려 하는데 몸이 말을 듣지 않았다. 온몸에 힘이 하나도 없고 손가락 하나도 움직일 수가 없었다. 몸을 일으키려 아무리 애를 써도 몸은 꿈쩍도 하지 않았다. 그녀는 고개라도 돌려보려고 하였지만 그 자세 그대로 고정된 느낌이었다. 그렇게 한참 시간이 흐르자 밖에서 도어락 비번 누르는 소리가 들렸다. 그러고 보니 아이 하원 마중을 나가지 않은 게 떠올라 그녀는 다시 한번 몸을 움직이려 하였지만 역시 되질 않았다.

현관문 열리는 소리가 나더니 쪼르륵 아이가 달려오는 소리가 들린다.

"우리 집 사람 아닙니다. 그럴 리가 없어요"라는 우성의 외침도 아랑 곳 않고 형사들은 혜수의 두 손에 수갑을 채웠다.

"여보 아니지? 아니라고 말을 해!"

결박된 혜수를 뒤흔들며 우성이 소리쳤다. 그러나 혜수는 흐릿한 눈을 껌벅일 뿐 별다른 말을 하지 않았다.

"형사님들 ,이거 오햅니다. 우리 집사람은 누굴 죽일 수 있는 사람이 아닙니다"라며 그가 눈물이 그렁해서 형사들에게 애원을 하지만 그들은 무정하게 그를 뿌리치고 혜수를 데리고 나갔다.

마트에서 장을 봐서 들어오던 진경을 혜수의 차가 정면으로 달려가 치었다는 목격자가 한둘이 아니었다. 그 바람에 진경은 꼬박 이틀을 병원에서 사경을 헤매다 숨을 거두었다.

형사들이 혜수를 경찰차에 태우고 단지를 빠져나가는 걸 우두커니 지켜 보던 우성은 경찰차가 시야에서 사라지자 태연하게 담배를 꺼내 입에 문다. 그리고는 불을 붙이려는데 불이 자꾸만 꺼진다. 마치 바람이라도 부는 것처럼. 하지만 대기는 온통 비를 머금어 고요하고 둔탁하기만 하였다. 라이터 가스가 바닥났다고 생각한 그가 터덜터덜 새 라이터를 사러 근처 편의점으로 향할 때였다.

"당신이 그랬잖아"라는 그녀의 목소리가 들렸다. 분명 죽은 진경의 목소리였다.

화들짝 놀란 우성이 주위를 둘러 보지만 그 어디에도 진경의 모습은 없었다.

이어서 그녀의 흐느끼는 소리가 가까이서 들렸다.

"날 사랑한다고 했잖아. 가까이 오라고 해놓고..." 라는 진경의 소리는 에코가 돼서 그의 고막을 강타했다.

우성은 누가 듣기라도 했을까 봐 초조한 눈으로 주위를 둘러 보지만 무연의 행인들뿐이었다.

혜수가 즐겨 먹는 생수에 다량의 환각제를 몰래 넣어 마시게 한 뒤 차를 몰아 진경을 치게 한 장본인이 바로 우성임을 혜수는 절대 경찰에 불 수 없으리라. 그녀는 그 정도로 우성을 사랑했다. 그녀는 결국 정신병동에서 생을 마감할 것이고 그리 되면 이 집을 포함한 혜수의 모든 재산은 다 남편인 자기 차지가 된다. 그리고 술김에 가까이 와서 살라고 한번 내뱉은 말에 진짜 덜커덕 이사와 버린 진경도 지겹기만 하였다. 자기 삶에 걸리적거리는 두 여자가 감쪽같이 사라져 준 것이 꿈만 같아 신을 믿는다면 감사의 기도라도 올리고 싶다.

새로운 사람과 새로운 곳에 가서 처음부터 다시 시작하고 싶다는 생각뿐이다.

그 순간, 악! 하는 여자의 비명소리가 들렸다. 그와 동시에 우성의 온몸이 언제 생겨났는지 모를 깊은 맨홀 속으로 빠져버렸다.

길은 매끄럽게 포장돼 있었고 맨홀 따위는 어디에도 없었다.

행인들은 한 남자가 땅바닥에 거품을 물고 눈을 뜬 채 죽어 있는 걸 보면서 저마다 이런저런 추측을 해댔다...대부분이 어깨너머로 힐끔거리곤 그냥들 갔지만 아파트 단지에서 한 두 번이라도 그를 마주친 사람들은 그래도 안 됐다는 듯이 끌끌 혀를 찼다.

<강변의 추억>

"그 여잔 나한테 아무것도 아냐. 그냥 한집에 사는 거뿐이야"라는 현중의 말에 난주는 할 말을 잃는다. 지난 2년간 그가 두 집 생활을 해왔다는 게 믿기지가 않았지만 인정해야 하는 순간이 온 것이다. 자다가도 그 여자의 전화가 걸려오면 뛰쳐나갔고 그렇게 밤을 새우고 들어와서는 아무 말도 없이 늦은 잠에 빠지곤 했다. 한번은 난주가 잔뜩 술을 먹고 그만 헤어지자고 하자 더 이상 숨길 것도 없다는 듯이 현중이 내뱉은 말이 저랬다. 그 여잔 아무것도 아니라고.

난주는 현중이 빈둥거리고 놀아도, 가끔 한눈을 팔아도 묵묵히 그를 견뎌왔고 모든 건 잠시 불고 가는 바람이려니 했다. 그런데 이번 경우는 달랐다. 아무것도 아니라는 여자와 한집에 산다고 한다. 현중을 더 봐주다가는, 더 그를 참아내다가는 자신이 돌아버릴 것만 같아 난주는 그 집을 나오기로 작정한다. 하지만 마지막으로 현중의 얼굴은 한번은 보고 싶다. 그런데 이번엔 사흘째 들어오질 않는다. 그러자 집을 나가겠다던 그녀의 의지가 조금씩 사그라들면서 그것은 현중에 대한 기다림으로 변해갔다. 그리고는 어느새 문밖을 서성이며 그를 기다리고 있었다.

"우리 결혼하자"

근 일 주일 만에 집에 온 현중에게 그녀는 벼르고 벼른 청혼을 했다. 그러나 현중의 얼굴은 무표정 그 자체였다. 조금의 동요나 흔들림, 갈등도 보이지 않았다.

"뭐야 그 표정은?"

"하는 거였잖아 결혼.하자 그래"

"그럼..정리해 그 여자. 그 집에서 나와"

"꼭 그래야 해? "

난주는 밥을 먹던 숟가락으로 현중의 얼굴을 후려쳤다. 그러자 그의 눈이 휘둥그레지면서 때릴 듯이 한 팔이 올라갔다. 그러나 잠시 후 그 팔은 다시 내려졌다.

"밥 먹자"

그리고 현중은 묵묵히 밥 먹기에 열중하였다. 너무나 진지해서 그런 그를 채근하고 닦달한다는 게 미안할 지경이었다.

“한사람이 꼭 한사람만 좋아해야 하나요?"

은주라는 여자가 두 눈을 동그랗게 치켜뜨고 말했다. 그녀를 바라보는 난주는 그녀의 얼굴이 낯설지가 않았다. 어디서 봤더라...

"우리, 어디서 봤나요?"라는 난주의 뜬금없는 질문에 은주는 어이없어 한다. 그러더니 남은 커피를 단숨에 마시고는 까페를 나가 버린다.

분명 눈에 익은 얼굴인데...하면서 난주는 자리에서 일어나는데 갑자기 왼쪽 가슴에 통증이 일었다. 그리고는 식은땀을 흘리며 그 자리에 쓰러져버렸다.

난주가 눈을 뜬건 병원 응급실이었다.

"환자분, 평소에도 심장이 안 좋았어요?"라는 응급의의 질문에 난주는 뭐라 할 말이 없다. 평소 심장 체크를 해본 적도, 이렇게 통증과 함께 쓰러진 적도 없기 때문이었다.

"며칠 입원해서 정밀 검사 받아야 합니다"라는 의사의 말을 무시하고 그녀는 응급실을 뛰쳐나왔다.

난주가 병원을 나오는데 비가 내리고 있다. 이렇게 많은 비는 처음 보는 것만 같다. 아직 장마도 아니고 일기예보에서 폭우예보도 없었는데 웬 비...하며 그녀가 손 우산을 하고 두어 걸음 내딛는데 저만치 현중의 모습이 보였다. 그런데 그의 옷이 온통 검기만 하다. 자세히 보니, 넥타이까지 까맣다. 무슨 일일까? 하는데 은주라는 여자가 그에게 다가가는게 보인다. 그런데 그녀도 검은 옷을 입고 있다. 마치 상을 치르는 젊은 부부처럼 보였다. 뭘까 이 상황은....

자신이 영정 속에서 활짝 웃고 있는 모습에 난주

는 넋을 놓고는 하마터면 쓰러질 뻔하였다. 그녀가 심하게 휘청거렸는데도 방안 조문객 누구도 그녀를 걱정하거나 부축하지 않았다. 그녀는 저만치 상주 자리의 현중에게로 향했다. 그리고는 그의 손을 잡으려고 하는데 잡히질 않았다. 말을 하려는데 말이 나오질 않았다. 꿈일까..지금 내가 꿈을 꾸고 있는 걸까.

그녀가 답답해하며 자기 가슴을 주먹으로 쾅쾅 쳐대도 누구 하나 자기를 의식하는 사람이 없었다. 그때 저만치서 열심히 조문객의 식사 시중을 드는 은주가 보였다. 이 상황이 뭐지? 난 왜 영정 사진 속에 있는 거지?

그녀는 자신의 몸이 한없이 가볍게 느껴졌다. 그 사이 장대비도 그치고 하늘은 언제 그랬냐는 듯이 맑게 개었다. 그리고 그녀는 나른한 졸음에 빠졌다...

그녀는 잠결에 들은 것 같다. 자신의 이름을. 그녀는 서둘러 잠을 떨치고 자리에서 일어났다. 그녀는 공중에 붕 뜬 채로 잠이 들어있었다.

"우울증이 심했어요"라는 현중의 말에 조문객들이 끌끌 혀를 차는 게 보였다. 누가 우울증이었단 말인가, 하는데 "매사를 의심했어요.."라고 현중이 덧붙이자 그들은 말없이 고개를 주억거렸다.

그때 은주 그녀가 "오빠, 염한다고 문자 왔는데"라며 속삭이듯 말했다.

그리고 10여 분 후 난주는 가슴 위가 벗겨진 채 사람들 앞에 눕혀졌다. 그녀는 벗어나려 했지만 옴짝달싹할 수가 없었다. 드디어 염이 시작되고 염장이들이 자신의 몸을 닦아내기 시작했다. 한참을 그러고 있는데 은주 그녀가 까무러치는 시늉을 했다. 저 여자를, 저 여자를 본 적이 있어 분명...하는데 그사이 염이 끝나고 그녀는 입관되고 말았다. 그러고 나자 그 어느 것도 보이지 않고 들리질 않았다.

그러고 있는데 '언니 언니'하고 부르는 소리가 들렸다. 난주가 돌아보자 저 아래 강가에서 튜브에 몸을 신고 다 젖은 몸으로 손을 흔들어 보이는 어린 계집아이가 보인다. 난주는 '집에 가야지 . 나와 얼른!'이라며 아이를 향해 소리친다. '언니도 들어와!'라며 아이가 손짓을 한다. 그러나 난주는 그 자리에 우두커니 선 채 소리만 친다. '은주 너, 이러다 엄마 아빠한테 혼난다. 빨리 나와'라는데 아이는 갑작스런 급물살에 저 멀리 떠 내려 간다. 은주야! 은주야! 부르면서도 난주는 은주에게로 가질 않는다. 그 사이 은주는 물에 빠져 허우적거리고 있다.

그때 지나가던 동네 오빠 현중이 지나가다 그런 난주를 보고는 황급히 달려왔다. 상황을 알아챈 현중은 곧바로 물에 뛰어들어 은주를 구하러 나섰다. 교회에서 늘 은주 옆자리에 앉던 현중은 난주에게는 눈길조차 주질 않았다. 어느 날 그의 집 파란 철대문에 그녀는 쪽지까지 남겼지만 현중은 끝내 난주를 모른척했고 은주만 챙겼다. 은주가 죽었으면 좋겠어...그녀는 여러 번 생각했다.

간신히 은주를 구해낸 뒤 현중은 의식을 잃었고 지나가던 행인들에 의해 둘은 인근 병원으로 이송되었다. 둘 다 죽었어야 돼,라고 중얼거리는 어린 난주의 말을 알아듣는 어른들은 아무도 없었다.

그날 밤 난주는 어린 동생을 방치했다는 이유로 부모에게 호되게 질책을 당하고 병원을 뛰쳐나왔다. 그리고는 집에 돌아가지 않았고 거리를 배회했다. 이따금 지나가던 행인들이 다가와 난주의 이름이며 집, 연락처를 물었지만 난주는 하나도 기억이 나질 않았다. 그렇게 그녀는 점점 자신을 잊어버렸다.

그러다 어느날 현중이라는 남자의 손에 이끌려 그의 집에 갔고 현중은 그녀를 애처로워하며 알뜰히 보살폈다. 하지만 사랑은 아니었다. 어렴풋이 본적이 있는듯한 얼굴일 뿐 그가 누군지도 모르면서 그녀는 그를 사랑하게 되었고 어느날 밤 그가 살며시 그녀를 안아왔다. 하지만 그의 마음이 자신에게 없다는 걸 난주는 알아차렸고 이후로 그는 한밤에 울리는 '그녀의 전화'에 기다렸다는 듯이 뛰쳐나가곤 하였다. 참지 못한 그녀가 둔중한 옥상 문을 열고 나갔다. 아래는 4차선 도로였고 이만하면 됐다는 느낌이 들었다.

하지만 4층 아래로 뛰어내리려면 용기가 필요했다. 아니 그전에 '그녀'를 한번은 봐야 한다는 생각이 들었다. 그리고는 은주를 만나 가슴의 통증을 느꼈다.

난주의 장례를 치른 후 은주는 오랫동안 기다려온 현중의 집으로 들어왔다. 그리고는 죽은 언니 난주의 흔적들을 하나둘씩 치워갔다. 현중은 이제야 사랑하는 여자를 온전히 품에 안을 수 있다는 것에 만족해 하였다. 그리고는 은주의 뱃속에 아이가 들어서던 날 은주는 퇴근해서 돌아올 현중을 위해 우럭 매운탕을 끓였다. 비로소 은주와 살기 시작하면서부터 현중도 마음을 잡고 인테리어 일에 열심이었다.

은주가 창을 열어 음식 냄새를 뺀 뒤 소파에 잠시 드러눕는데 도어락 비번이 눌렸다. 현중이 퇴근하려면 아직 한 시간도 더 남은 시간이라 은주는 의아해하며 현관으로 향했다. 그러자 문이 저절로 열렸다. 하지만 밖에는 아무도 없었다. 은주는 숨을 고르고 말했다.

"언니 이제 오지 마"

그러자 열린 현관문이 스르륵 닫혔다.

<속삭임>

분명 미림이었다. 아무리 세월이 흘렀다고 해서 그녀를 잊을까. 강미림. 하지만 미림은 전혀 우석을 알아보지 못하는 눈치다.

우석은 옆의 진경의 눈치를 보느라 여념이 없다. 진경은 자기 앞에 펼쳐진 웨딩드레스 캐털로그에 정신이 팔려 우석의 어지러운 속내를 눈치채지 못한다.

"이거 이쁘네"하고 진경이 손으로 가리키자 미림은 "그러게요 신부님한테 딱 어울리네요. "라고 그녀는 맞장구를 친다.

작은 회사에서 경리업무를 보던 미림이 어떻게 웨딩 컨설턴트가 돼 있는지는 몰라도 , 진경과 결혼을 앞둔 우석 앞에 앉아있는 그녀가 미림이란 건 변함없었다. 하지만 우림은 기억상실이라도 걸린 사람처럼 전혀 우석을 모른다. 아니, 모른척 하는 것만 같다.

우석은 그날 이후 계속 불면에 시달렸다. 자기가 버린 여자 강미림. 그 역시 미림을 사랑했지만 가난한 집안 4남매의 맞이라는 그녀의 처지를 쉽게 받아들일 수는 없었다. 게다가 10년째 중풍을 앓고 있는 부친까지. 결혼한다면 그 짐을 우석이 함께 져야 한다는 게 늘 꺼림직하였다..

그러던 어느 날, 대학 선배의 소개로 첼로를 전공했다는 지금의 진경을 소개받았고 그 순간 미림은 이미 버려진 여자가 되었다. 그렇게 한 달도 안 돼서 우석은 5년의 길고 긴 미림과의 관계를 끊어버렸다.

헤맨 걸로 치면 우석도 미림 못지않았다. 진경을 품에 안고 있어도 자꾸만 미림이 떠올랐다. 우석은 오랜 연인을 버리고 선택한 만큼 하루라도 빨리 진경과 결혼하길 원했으나 진경은 유학을 다녀온 후에 하자며 우겼고 결국 약혼만 한 채 이탈리아로 떠났다. 그리고는 마침내 학위를 마치고 모교에 자리를 잡고서야 결혼하자는 뜻을 비쳤다. 진경이 로마에 나가 있는 동안 우석은 다시 미림을 만나볼까 하는 생각도 있었지만 애써 참았고 재벌에 준하는 풍족한 진경의 집안을 포기할 용기도 없었다. 해서 가끔 직업여성을 안는 걸로 남성의 욕구를 채우곤 하였다.

"자기 아는 사람이야?"

드레스를 고르고 그 밖의 이런저런 웨딩 스케줄을 잡고 나오는데 진경이 물었다. 무감한 줄 알았는데 그게 아니었던 모양이다.

"누구? 누굴 알아?"

"상담사. 자기 왜 그렇게 빤히 봐? 혹시.."하고 진경이 실눈을 하고 우석을 의심하는 시늉을 한다.

"쓸데없는 소리...아니, 옛날 대학동창을 좀 닮아서 쳐다봤는데 자세히 보니까 아니더라구"라면서 우석은 간신히 위기를 넘긴다.

"여긴 어떻게..."

흥신소를 통해 알아낸 미림의 원룸에 이르러 벨을 누르자 기다렸다는 듯이 금방 현관문이 열렸다. 미림은 방금 머리를 감았는지 수건으로 젖은 머리를 털고 있다.

"강미림!" 우석이 정색을 하고 이름을 불렀지만 그녀는 영문을 모르겠다는 얼굴이다.

"강미림이 누구죠? 저는 아시는 대로 한소영인데요"

그러고 보니 예식 상담시에 미림의 왼쪽 가슴에 '한소영'이라고 작게 새겨진 이름표가 부착돼 있던게 떠올랐다. 하지만 우석은 아무래도 이 여자가 시치미를 떼고 있다는 생각만 든다.

"우리, 예전에 알던 사이 아닌가요? 그 여자랑 너무 닮아서"라고 하자 소영이라는 여자가 코를 찡긋거린다.

"원하시는대로 스케줄 잘 진행되고 있으니 걱정마세요... "라는 애먼 대답만 돌아왔다.

우석은 어쩌면 자신이 잘못 짚었을지도 모른다는 생각에 한걸음 뒤로 물러났다.

"제가 착각을 한 모양입니다.."

"그분을 사랑했었나 봐요, 것두 아주 많이"라며 그녀가 또 한번 코를 찡긋하더니 문을 살짝 닫는다.

틀림없이 강미림인데, 웃을 때 오른쪽 볼에 파이는 볼우물까지 똑같은데도 그녀는 자기를 한소영이라고 거짓말하고 있다며 우석은 또다시 혼란에 빠진다. 하지만 설령 저여자가 미림이라 해도 이제 보름 앞으로 다가온 진경과의 결혼을 무를 수는 없는 일이다...

그러자 '그저 많이 닮은 사람'일 수도 있다는 생각이 든다. 헤어진 뒤, 아니, 버려진 뒤 그의 뒤를 캐거나 미행하지 않았다면 어떻게 자신과 웨딩 컨설턴트로 다시 만날 수 있을까? 분명 자신이 잘못 본 거라며 그는 미망을 떨쳐버리려 한다.

예식이 코앞으로 다가왔다. 우석에게는 '한소영'이 어쩌면 미림일 수 있다는 생각에 하루하루가 혼돈이고 지옥이었지만 진경 앞에서는 내색을 할 수가 없었다. 그래도 진경은 그 예리한 육감으로 우석의 심사가 편치 않음을 깨달았는지 매일 강의가 끝나면 장을 봐서 곧바로 그의 오피스텔로 와서 저녁을 준비하고 그가 퇴근해 들어가면 함께 식사를 하고 인근 공원을 나란히 산책하고는 함께 잠을 자고 새벽에야 자기 아파트로 가곤 했다.

그래, 이미 던져진 주사위다. 어쩔 수 없다,라는 생각이 우석을 옴짝달싹 못하게 한다.

"잠시 뵐수 있을까요?"

소영이라는 미림을 너무도 닮은 그녀의 전화를 받고 우석은 쿵, 가슴이 내려앉는다. 이제 와서 옛일을 들먹이면서 돈이라도 내놓으라고 하면 어떡하나 하는 불안감마저 들어 어떻게든 그녀를 피해야 한다는 생각을 하면서도 그는 그녀와 약속을 잡고 만다

"우리 ,알죠? 전에 만났죠?"

우석은 이젠 아예 '그렇다'는 대답을 그녀로부터 끌어내려 애원하는 꼴이 되고 만다.

"많이 사랑하셨나봐요 그분을?"이라는 맞은편 한 소영은 그렇게 말하며 안쓰러워하는 눈치다.

"다 지난간 일이에요...난 왜 보자구?"

"저도 어디선가 본적이 있는 분 같아서요"라는 그녀의 말에 우석은 들고 있던 커피잔을 하마터면 떨

어뜨릴 뻔한다. 대신 커피는 까페 테이블을 흥건히 적신다.

"저런"하고 그녀가 얼른 냅킨을 집어 젖은 테이블을 닦아낸다.

저 손...저 길고 가늘고 흰 손. 미림이 틀림없는데...

"어떻게 된거야. 밤새 전화도 꺼놓고"

다음날 아침 , 소영과 함께 밤을 보낸 그 모텔에서 우석이 꺼놓은 전화를 켜자 진경의 부재 전화가 여러 통 찍여있다.

"우리 다시 만나지 맙시다"라는 그의 말에 소영은 아무 말도 않고 원피스 뒷지퍼를 올려달라는 시늉을 했다.

그 지퍼를 올려주는데 우석은 울컥 설움 같은 게 복받쳐 그녀의 등에 얼굴을 묻고 흐느꼈다.

진경의 강의가 끝나기를 기다리며 강의실 앞을 서성이고 있는 우석에게 진경이 다가왔다. 그녀의 얼굴은 굳어있다.

"왜 통 전화를 안 받아?"

"우리, 끝난 거 아닌가요?"

"뭐? 결혼이 코앞인데"

"결혼? 여보세요 정우석씨. 우리 파혼한 거 기억 안 나요? 그것도 당신 쪽에서...다른 여자가 생겼다고..."

그런 진경의 말을 우석은 전혀 알아들을 수도 이해할 수도 없다. 그러는데 학생들이 몰려나와 둘의 대화는 끊어지고 진경은 학생들과 함께 멀어져 간다..

내가 언제 진경과 파혼했을까? 혹시...하고는 소영에게 전화를 걸자 결번이라는 안내가 나온다.

"당신 추잡하군요"라며 이틀 후 간신히 불러낸 진경이 자신의 폰으로 전송된 우석과 소영의 그날 모텔 사진을 내민다.

"이건...오해야..."

"나쁜 자식!“

우석은 아무 할 말이 없다. 온 세상 말이란 말이 다 자신을 빗겨가기만 하다. 그렇게 정신을 놔버린 우석을 놔두고 진경은 까페를 나가버린다.

한참 벨을 눌러도 소영의 현관문은 열리질 않는다. 집에 없나...하고는 그가 돌아서려 하는데 그제서야 달칵 하고 문이 열린다. 중년 남자 하나가 고개를 빼꼼 내밀고 알수 없는 적의를 드러낸다.

"아, 여기 살던 아가씨..."

"아가씨요? 내가 여기 3년째 살고 있는데. 집 맞게 찾았어요?" 라는 남자의 말에 우석은 갑자기 심한 한기를 느낀다. 그러더니 손발이 저릿저릿해 온다..

남자는 한동안 사납게 그를 노려보더니 거칠게 문을 닫아 버린다.

바로 얼마 전 자신이 찾아왔던 한소영, 아니 미림의 방이 분명한데 그런 여자는 없다고 한다. 돌아서던 우석은 다시 한번 벨을 누른다. 그러자 이번엔 기다렸다는듯이 곧바로 문이 열리며 남자의 일격이 그의 얼굴에 가해진다.

"언닌 그때 죽었어요"

미림의 동생을 만난 우석은 황당한 소릴 듣고만다.

"그때 형부...아니 당신한테 버려지고 회사 옥상에서 떨어져서... "라며 그녀는 무섭게 그를 노려 본다. 그러더니 금세 두 눈에 눈물이 그렁하다...

<그림자>

"너도 참 딱하다"

전화 너머에서 혜경은 끌끌 혀를 찬다.

"그래. 누가 이해하겠어"라며 수진은 전화를 끊는다. 그러고 나자 자기도 모르게 후, 한숨이 나온다.

경호와의 지난한 연애를 딱 끊어버리지 못하는 자신이 한심하면서도 경호의 처참한 현재 상태를 감안하면 어쩔 도리가 없다. 아직 결혼을 한 것도 양가에 정식으로 소개를 한 사이도 아니지만 둘은 암묵적으로 결혼으로 가고 있는 것이라 믿어왔고 그게 아니라 한들 지금 상태의 경호를 내칠 수는 없었다.

경호는 결국 마지막이라며 들어간 직장에서마저 보름을 넘기지 못하고 사장과 싸우고 뛰쳐나왔다. 소액재판으로 월급을 받겠다는 그를 수진이 간신히 설득하고 그만큼의 돈을 그의 통장에 입금함으로서 일단락되었다.

수진의 이런 연애사를 아는 친구 몇은 한사코 둘의 관계를 뜯어말렸고 수진도 여러번 그와 헤어지려 하였지만 경호 쪽에서 놓지를 않았다. 하기사 지금 , 세상의 유일한 의지처인 수진을 놔버리면 그는 생존 자체가 불가능해진다.

"넌 현금 인출기일 뿐이야"라는 친구들 말에 수진은 딱히 반론을 펼 수가 없다. 사업 실패와 그로 인한 빚, 살아보겠다고 들어간 직장마다 상사나 동료들과의 불화, 연이은 퇴사...

수진도 이 관계를 놓고 싶다는 생각이 굴뚝 같지만 그래도 지금은 아니라는 생각이 그녀의 마음속에서 고개를 들어 차마 '끝'이라는 말을 하지 못하고 있다. 사랑이 있던 자리에 이젠 연민만이 고독하게 똬리를 틀고 있다.

이제 그의 월세를 입금해줘야 하는 15일이다. 25일이 월급날인 수진도 15일이면 한참 돈이 궁할 때다 .그래서 가끔은 현금서비스를 받아 경호의 월세를 대주곤 하였다. 이번 달 역시 경조사비의 여파로 돈이 모자란다. 수진은 별수가 없어 슬리퍼를 끌고 어두워진 거리로 나선다. 편의점 atm을 이용할 생각이다.

그렇게 그녀가 편의점으로 향하는데 저만치서 가로등 하나가 깜박거린다. 전구 수명이 다 한 듯하다. 몇 개 안되는 가로등이어서 좁은 골목은 으스스하기만 하다. 그때 뒤에서 뚜벅뚜벅 발소리가 들려왔다. 묵직한 남자의 발굽 소리다. 수진은 벽에 바싹 붙었다. 그러자 뒤의 발소리도 끊어진다. 수진은 양손을 꽉 움켜쥔다.

경호는 계속해서 수진의 입금 여부를 확인해 보지만 돈은 들어오지 않고 있다. 전화를 할까 하다 그는 조금만 더 기다려 보기로 한다. 냉장고에서 남은 캔맥주를 꺼내 들이키지만 이미 김이 다 빠져 맛이 없다. 그는 남은 맥주를 싱크대에 콸콸 붓는다. 하루 종일 잤으니 잠이 올 리도 없고 해서 그는 산책을 나가기로 한다. 아직은 이른 봄이라 밤이면 꽤 냉기가 느껴진다. 그는 가벼운 점퍼 하나를 걸치고 방에서 나간다. 그리고는 3층 계단을 뚜벅뚜벅 걸어 내려 오는데 뒤에서 누군가 자기를 뒤따르는 소리가 들린다. 이 늦은 시각에 자기 말고 또 잠을 설친 사람이 있나 보다, 하고 계단 한쪽에 붙어 길을 내주지만 지나가는 이는 아무도 없다. 뭐지?하고 그는 뒤를 돌아다본다. 아무도 없다. 텅빈 계단뿐이다.

그날따라 달이 밝기만 하다. 택시로 가면 금방이니 이참에 수진에게 가서 직접 월세를 타올까, 생각하던 그의 눈에 마침 저만치 빈 택시가 달려온다. 그는 손을 들어 택시를 세우려는데 차는 다가오는 듯 하더니 그대로 그를 지나쳐간다. 분명 빈차였는데 승차 거부를 당하자 경호는 화가 난다. 멀어져가는 택시 꽁무니의 차 번호를 적을까 하다 그만두고 그는 다음 택시를 기다린다. 그러나 늦은 시각 주택가라 차가 없다.

차를 기다리는 사이 그는 다시 입금 여부를 확인하지만 수진으로 부터는 돈이 들어오지 않았다. 잊어버렸나? 그가 고개를 갸웃하는데 저만치 또다시 빈 택시가 오고 있다. 이번엔 서겠지,하고 그가 손을 들자 차는 속도를 낮추며 다가온다. 차 문을 열려고 다가가자 차는 다시 그를 버리고 가버린다..

경호는 통 영문을 알 수가 없다. 트레이닝복 차림에 얇은 점퍼를 걸친 자기 차림새가 불량해 보이나? 아님 취객으로 보여서 그럴까, 하며 오만가지 생각을 다 하는데 뒤에서 악! 하는 여자의 비명 소리가 들린다. 경호는 소리 난 쪽으로 홱 고개를 돌리자 여자 하나가 경호를 보며 뒷걸음치고 있다.

"아주머니, 왜 그러세요?"

"뒤에...뒤에.."라며 그녀는 신고 있던 신발 한짝이 벗겨지는 것도 아랑곳 않고 그 자리를 서둘러 벗어난다. 경호는 아무래도 자신의 어딘가가 보는 이로 하여금 거부감을 주는 거 같다는 생각이 든다.

오늘은 날이 아닌가보다, 하고 그가 몸을 돌리는데 "가려구?"하는 수진의 목소리가 들렸다. 어? 하고 그가 돌아보자 수진이 그를 보며 희미하게 웃고 있다.

"웬일이야...잊은건 아니지? 월세.."하는데 수진이 천천히 그에게로 다가온다.

"얼른 줘"하고 그가 손을 내밀자 수진은 그 손을 물끄러미 쳐다본다.

"장난은...직접 주려고 온거야? 자고 가 그럼"하고 그가 수진의 손을 잡는 순간 그녀의 바지가 그날따라 유난히 헐렁해 보인다. 며칠 안 본 사이 말랐나, 하고 그가 그녀의 바지에 손을 대려 하자 수진이 뒷걸음질 친다. 그러더니 "배고파"라며 나직이 말한다.

"나도 배고파. 근데 문 연 데가..."하는데 수진의 눈에서 눈물이 흘러내린다.

"배고파서 우는 거야? 그 정도로?"

"..."

경호는 힘이 하나도 없는 그녀를 부축해서 자기 방으로 들어온다.

"라면밖에 없어"

"그거라도 줘"라며 수진이 맥없이 침대에 걸터앉는다.

"김치가...."하며 경호가 냉장고 문을 열려하자

"김치 없어도 돼"라는 수진의 말이 들려온다.

"똑 떨어졌네"하고 그가 냄비에 물을 받는데 갑자기 뒤가 으스스하다. 냄비를 가스레인지에 얹는데의 손이 바르르 떨린다. 싸한 냉기가 그의 온몸을 휘감는다. 너 수진이 아니지? 하고 뒤를 돌아보자 방안은 텅 비어있다.

그때 띠링,하고 입금 알람이 울린다. 설마,하는 눈으로 폰 액정을 확인한 그는 정확히 월세가 입금된 걸 본다.

그는 밖으로 뛰쳐나간다. 그리고는 조금 전까지 자신과 함께 있던 그녀를 찾아 헤맨다.

맨발로 길거리를 헤매며 수진이라는 여자의 이름을 불러대는 그를 취객 두엇이 보고는 손가락질하며 시시덕거린다.

<지나가는 비>

"어? 비가 오네. 잠시만"하고 창민이 아파트 밖으로 나오다 되돌아가려 한다.

"차에 우산 있을 거야."

"금방 갔다 올게"

미선은 그렇게 동 입구에서 비를 피하면서 창민을 기다렸다. 미선의 느낌에는 지나가는 비 같은데 일기 예보에서는 장마라고 했다.

구축 아파트라 지하 주차장과 엘비베이터 연결이 안돼 있어 창민의 차가 주차돼있는 지하주차장까지 가려면 단지를 에둘러 가야 해서 우산이 없으면 비를 맞기는 맞을 것이다.

그런데 금방 와야 하는 창민은 나타나질 않는다.

왜 이렇게 늦지? 하고 미선은 창민에게 전화를 걸지만 전화기는 꺼져있다.

이상하다?

미선은 그렇게 10여 분을 더 기다리다 엘리베이터 앞으로 간다. 기계는 12층에서 빠르게 내려오고 있다. 창민의 집이 12층이니 분명 타고 있으려니 하고 여유있게 기다린다. 드디어 엘리베이터가 1층에서 멈춘다.

문이 열림과 동시에 "왜 이렇게 늦었어?"라며 안에 대고 소리치는 미선에게 웬 중년 남자 하나가 거북한 눈길을 주며 기계에서 내린다. 그리고나서 문은 스르륵 닫힌다. 미선은 거의 닫힌 문을 황급히 다시 연다.

12층 창민의 집 도어락 비번을 계속해서 눌러대는 미선은 왠지 불길한 느낌이 든다. 비번을 바꿀 이유도 바꿨을 리도 없는 창민의 집 현관은 고집스레 그녀를 거부한다. 분명 무슨 일이 일어났다고 생각한 그녀는 이번엔 탕탕 문을 두드렸다. 그러나 안에서는 역시 아무 인기척이 없다....

그때 미선의 눈에 도어락 바로 옆에 조그맣게 붙어있는 스티커가 눈에 들어왔다. '열쇠전문'이라는 글귀를 보고 그녀는 거기 적힌 전화번호를 누른다.

요란한 드릴 소리와 함께 힘들게 열린 현관을 미선은 내달리듯 들어가며 창민의 이름을 불러댔다. 방 셋 어디에도 그는 없었다. 올라 올 때만 해도, 평소 심장이 안 좋은 창민이 혹시 집에서 심장발작을 일으켰나 했는데 그건 아닌 거 같았다. 어디로 간 걸까...

순간 거실 발코니로 미선의 시선이 날아가 꽂힌다. 하지만 창문은 완전히 닫혀있다.

경찰은 최소 하루는 더 기다려 보고 그때까지 창민으로부터 연락이 없으면 실종신고를 하라며 대수롭지 않게 여기는 눈치였다. 속이 타 들어가는 미선이 애원을 하자 그제서야 경찰은 창민의 신상을 물었다. 이른바 '특수관계'라 불리는 '연인사이'라고 하자 담당 경찰이 코를 찡긋거리며 물었다.

"혹시 두분 싸웠나요?"

싸우긴커녕, 미선은 전날 퇴근하고 곧바로 창민에게 와서 함께 저녁을 지어먹고 단지를 한바퀴 돌고 그러고는 같이 잠을 잤다. 오랜 연인이라 더 이상 다툴 것도 서로에 대해 의심할 것도 모를 것도 없었다.

아니라고 대답하자 경찰은 "그래요? 알겠습니다. 댁에 가 계심 연락드릴게요"라며 그녀를 돌려보내려 한다.

"꼭요.."라며 미선은 사정사정하고 파출소를 나왔다.

미선의 예감대로 비는 말끔히 걷혀 있었다.

"봐.. 지나가는 비라고 했잖아 내가"라며 그녀는 자기도 모르게 옆에 창민이 있는 것처럼 중얼거리다 흡, 하고 멈춘다. 그리고는 흐느끼기 시작했다. 어디 간 거야. 어떻게 된 거야...

이틀의 휴가를 내고 미선은 여기저기 창민을 찾아다녔지만 허사였다. 창민의 절친인 동규는 '사랑 싸움이네 뭐'라며 대수롭잖게 웃어넘겼다. 그럴수록 미선의 가슴은 까맣게 타들어 갔고 급기야 그녀는 도로 한복판에서 심한 현기증을 느껴 쓰러져버렸다. 심장이 멎는 것만 같더니 앞이 깜깜해졌다.

창민은 영정 사진 속의 미선 앞에 흰 국화를 헌화하고 묵념을 한다. 그리고는 어깨를 들썩이며 흐느끼기 시작하였다. 결혼을 약속한 연인이 갔으니, 그것도 도로 한복판에서 객사를 했으니 그 심정이 오죽하랴 싶어 조문객들은 하나같이 그를 위로하고 다독였다.

창민은 장례가 치러지는 사흘 내내 미선의 곁을 지켰고 삼우제까지 지낸 뒤 집으로 돌아왔다. 그가 도어락 비번을 다 누르기도 전에 안에서 문이 열리며 젊은 여자 하나가 "왔어?"라며 그를 반긴다.

그녀 여정을 만난 건 지난번 파리 출장 때 비행기에서였다 . 둘은 12시간을 나란히 앉아 가면서 자연스레 이야기를 나누었고 파리에 도착해서 헤어질 때 창민은 그녀의 연락처를 물었다.

그렇게 둘은 파리에서 함께 시간을 보냈고 미선에게 줄 파리 향수도 여정이 골라주었다. 그리고는 같은 비행기로 귀국해서 이후 미선 모르게 계속 만나왔다.

"자기 배고프지?"

"더 고픈 거 있어"라며 창민이 여정을 거칠게 안았다.

"우리 결혼하자"

"그러려고 한 짓이잖아."

그 말에 여정이 살짝 눈을 흘긴다.

미선과는 이미 수십 년을 함께 산 부부인 양 서로 가릴 것도 숨길 것도 없이 다 터놓고 지내다 보니 서로에 대한 신비감이라든가 이끌림 같은 게 있을 리가 없었다. 그때 마침 여정을 알게 됐고 그는 별다른 갈등 없이 미선을 쳐내기로 마음먹었다.

그렇게 해서 우산을 가져온다는 핑계를 대고 아파트 옥상으로 올라가 이틀을 숨어있었다. 여정의 오피스텔에서 또 며칠을 보내고는 그사이 자기보다 더 심장이 안 좋은 미선이 거리에서 쓰러져 죽자 태연하게 나타나 조문까지 한 것이다. 그리고는 삼우제를 지내로 온 바로 그날 격하게 여정을 안은 것이다. 그러면서 조금은 미선에게 미안한 마음이 들었다. 심장재활모임에서 서로 알게 된 이후 미선은 정말 헌신적으로 그에게 잘해주었다.

연달아 두 번의 섹스를 나눈 뒤 여정은 그대로 골아 떨어졌다. 그런 여정의 이마에 입을 맞추고 창민은 침실에 딸린 욕실로 들어갔다. 그리고는 온수에 샤워를 하고 있으려니 기분 좋은 피로감이 몰려왔다.

"어디 갔어?"

샤워를 마치고 나온 방안은 텅 비어 있다. 그가 스킨로숀을 얼굴에 바르며 여정을 찾지만 대답이 없다.한참이 지나도 여정은 방으로 돌아오질 않는다. 순간 창민은 자신의 머리가 쭈뼛 서는 느낌이 든다. 그리고는 거울 속에서 환하게 웃고 있는 죽은 미선을 보았다. 악! 그가 비명을 지르며 뒤를 돌아봤지만 텅 빈 벽만 눈에 들어왔다. 헛것을 봤다는 생각에 그는 고개를 내젓고 다급히 여정을 찾으러 방을 나간다.

여정의 모습은 집안 어디에도 없었다. 바깥 욕실, 주방, 작은 방 , 거실 소파, 어디에도. 그 순간 그는 혹시나 하고 거실 발코니를 쳐다보았다. 창문이 반쯤 열려있다. 설마....창민은 발코니로 향했다. 바깥엔 .비가 내리고 있었다 그날처럼. 미선을 홀로 남겨두고 자신이 숨어 버린 그날처럼.

"비는 금방 멎을거야"

미선의 목소리가 뒤에서 들려왔다.

창민은 오싹했다. 겁에 질린 그가 고개를 서서히 돌리자 미선이 환하게 웃고 있다.

귀신은 발이 없다고 했어, 하고 그가 미선의 발을 찾는데 그 순간 자지러지는 미선의 웃음소리가 들려왔다.

"니가 그랬지? 여정이, 니가 그랬지?" 그가 윽박질렀다.

"왜. 너는 그래도 되고 난 그러면 안되니?"라며 미선이 그에게로 다가왔다. 창민은 그녀를 피해 계속 뒷걸음질 쳤다. 그러다 발코니 난간에 몸이 닿았다. 그러자 미선이 그에게 손을 내밀었다. 가자고...창민이 절레절레 고개를 저었지만 미선은 차디찬 손으로 그의 양팔을 붙들었다.

" 이러지 마..내가 잘못했어 ...그냥 잠깐...지나가는...그래, 지나가는 비라고 생각했어. 니가 그랬잖아. 곧 그칠 거라고"

하지만 미선의 얼굴은 이미 일그러지고 있다.

창민의 삼우제를 지내고 오는 날 조문객을 실은 버스가 난데없이 중앙선을 넘어, 마주 오던 대형트럭과 충돌했고 버스에 타고 있던 전원이 사망하였다. 그날도 비가 내리고 있었다...

사고현장을 수습하던 경찰 하나가 갑자기 무언가를 본 듯 과호흡을 일으키더니 그 자리에 쓰러져버렸다. 그에게 응급조치를 하던 동료 역시 잠시 후에 소스라치게 놀란 얼굴로 쓰러졌고 이내 숨을 거두었다.

"이제 비는 당분간 없이 맑은 날씨가 계속되겠습니다"라는 tv기상 캐스터의 모습이 도심 거대한 전광판을 가득 메웠다.

산발적인 잦은 비에 시민들은 지쳐있었다.

"그나마 비가 있어 더위를 막았지. 이제 더워서 어떡해..."라며 저마다 비슷한 말을 하며 횡단보도를 서둘러 건너갔다.

<권태>

문자 알람에 현우는 혹시 하는 마음으로 다급하게 폰을 들여다 본다.

'본사에 지원해주셔서 감사드립니다. 그러나 아쉽게도 이번에는 모시지 못하게 되었음을 양해바랍니다'라는 글귀를 보고는 휴대폰을 던져버린다.

벌써 스무 번도 넘게 거절의 메시지를 받다 보니 이제는 정말 안되나보다 하는 생각이 든다.
슬리퍼를 끌고 고시원을 나와 무작정 걷다 보니 어느 새 동네 어귀 편의점 앞이다. 담배,하면서 주머니를 뒤지니 만원짜리 한 장이 달랑 들어있다. 자신의 전 재산이 만원이라는 것에 그는 실성한 듯 웃어제낀다 . 그래, 담배나 피고 죽자,라는 마음으로 그는 편의점으로 들어선다.

자주 보는 대학생쯤 돼 보이는 아르바이트생이 매

대를 정리 중이다.

“담배 하나요!”라고 하자 “네”하고 그녀는 쪼르르 달려온다. 얼핏 그녀 왼쪽 가슴에 이름표를 본 것 같다.

'이정희'

이쁜 이름이라는 생각에 한 번도 눈 여겨 보지 않은 그녀의 얼굴을 슬쩍 훔쳐본다. 아직 어린 티가 물씬 풍기는 그녀는 현우가 찾는 담배가 손에 닿지 않아 발돋음을 한다.

“제가 꺼낼게요”라며 그가 성큼 계산대 안으로 들어선다.

“여기 들어오심 안되는데”

하는데 그의 손엔 이미 담배가 들려있다.

"라이터도 하나 주세요"라고 하자 "네"하며 어느새 그녀의 얼굴이 빨갛게 달아올라 있었다.

순간 그녀와 커피라도 나눠마시고 싶은 생각이 들지만 담배에 라이터까지 사고 나니 천원짜리 몇 장

밖에 남지 않아 그는 그대로 편의점을 나온다. 그리고는 편의점 계단에 주저앉아 담배를 피우기 시작한다. 후, 연기를 내뿜는 순간, "여기 앉아 계심 안되는데"라는 조금 전 그녀의 목소리가 뒤에서 들려왔다.

"아 미안합니다" 하고 그는 느릿느릿 일어나는 시늉을 한다. 그러자 그녀는 다시 가게 안으로 들어갔고 그는 다시 앉아서 남은 담배를 태운다.

고시원의 밤은 서늘한 공기가 맴돈다. 공동취사를 마치고 방에 들어선 현우는 오늘 밤도 자는 게 걱정이다. 서랍을 열어보지만 약국 여기저기를 돌며 사 모은 수면제가 다 떨어졌다.

언제부턴가 현우는 약 없이는 잠을 이루지 못했다. 해서 달밤에 뛰어도 보고 물구나무를 서보기도 하고 별짓을 다 해 봤지만 잠은 오지 않았다.

대학을 졸업하고 2년 넘게 실업자 노릇을 하다 보니 집에서도 눈치를 주기 시작했고 그래서 그는 집을 나와 고시원 생활을 하기 시작하였다. 이따금 공

공근로나 아는 선배가 하는 출판사에서 번역 일을 가져다 하면서 근근이 고시원비를 충당하고 있었다.

잠을 어떻게 잔다?....

무작정 방문을 열고 복도로 나서는데 갑자기 멀쩡하던 유리창이 눈앞에서 박살이 나버렸다. 강풍이 부나? 하고 그는 저만치 세워져 있는 빗자루를 가져다 유리 파편을 쓸어 담는다. 순간 어느 손이 불쑥 그의 손을 움켜쥔다. 누구? 하고 돌아보는 순간 그는 쓰러져 버린다.

눈을 떴을 때 그는 다시 자기 방 좁디좁은 침대에 누워있었다. 옆에는 이따금 말을 섞곤 하는 원생 s가 우두커니 서서 자기를 바라보고 있었다.

"형씨 괜찮아?"

"내가...내가 뭐?"

"기억 안 나? 복도에서 쓰러졌잖아"

"아...유리창은.."

"유리창?"

현우는 아무래도 낌새가 이상해서 복도로 달려나

갔다. 자신의 기억에는 분명 깨져버린 유리창이 지금은 멀쩡히 달려있고 바람도 한점 없는 평온한 밤이었다. 그리고 가상의 유리 파편을 쓸어 담던 자신의 손을 움켜쥔 그 손은 뭐였을까? 누구의 것이었을까?

"고시원에 누구 새로 들어온 사람 있어요?"

"글쎄...아직 못 본거 같은데. 암튼 난 가요 괜찮은거 같으니"라며 s는 자신의 방으로 갔다.

현우가 멀쩡한 유리창 너머 밤거리를 내다보는데 뒤에서 오싹한 한기가 느껴졌다. 손...비질하던 자신의 팔을 붙든 그 손이 떠올라 그는 잔뜩 겁을 집어먹고 천천히 고개를 돌렸다. s였다. 어느새 컵라면 두 개를 가져와 같이 먹자는 시늉을 하였다.

s와 라면을 먹고 나서 현우는 식곤증에 의지해 잠을 청해보지만 잠은 역시 오지 않았다. 해서 출판사 선배에게 번역거리 있으면 연락 달라는 이메일을 보내고 다시 침대에 눕는다.

잠시 잠이 든거 같다...어지러운 꿈도 꾼 거 같다...

현우가 뒤척이는데 “강현우씨?”라는 여자의 목소리가 들렸다.

내 이름을 아는 건 고시원 주인밖에 없는데...라며 눈을 뜨고 그가 부스스 일어나는데 방문이 스르륵 닫힌다. 누가 나가기라도 한 것처럼. 분명 자신의 이름을 부른 여자의 목소리를 들었는데...

그렇게 이틀 밤을 계속 현우는 자신의 방에 묘령의 여자가 출몰했다 사라지는 느낌을 받고는 아무래도 고시원을 나가든가 방을 바꾸든가 해야겠다 생각한다...

그가 아침을 먹고 방에 들어서는데 전화벨이 울린다. 출판사 선배였다. 소설 번역 건으로 연락을 했다고 한다. 책을 가지러 곧 가겠노라 하면서 그가 외출복으로 갈아입으려 옷장을 여는데 옷이 하나도 없었다. 귀신이 곡할 노릇이었다. 분명 걸려있어야 할 자기 옷이 하나도 없다니....

할 수 없이 친분있는 s에게 가서 외출복을 빌어 입고 그는 고시원을 나섰다.

그리고는 편의점을 지나치는데 이정희 그녀가 있어야 할 시간에 웬 중년 남자가 카운터를 지키고 있다. 요즘은 중장년도 편의점 아르바이트를 많이들 한다는 기사를 얼마 전에 읽은 기억이 났다. 그만큼 모두가 살기 퍽퍽하다는 얘기였다. 하기사 이제 서른도 안 된 자기도 취업을 못 해 이러고 있으니...

스스로가 한심했고 한편은 그런 자신에 연민을 느끼면서 그는 지하철에서 내려 선배가 하는 출판사에 들어갔다. 그리고는 얄팍한 영어 소설 한 권을 받아들면서 머뭇거리며 말을 꺼낸다. 일부를 선불로 달라고.

그렇게 얼마 안 되는 돈을 미리 받은 그가 다시 동네로 돌아와 그 편의점을 지나치는데 여전히 그 중년 남자가 카운터를 지키고 있다. 이 돈이면 이정희 그녀와 커피 한잔은 마실 수 있는데,라며 그가 편의점을 지나치는데 누군가 그의 등을 톡 친다. 이

동네에서 자길 아는 이는 고시원 생 s밖에 없어서 그가 궁금해하며 고개를 돌리는 순간 그는 헉, 하고 숨이 멎는다.

그리고 이번에 깨어난 건 인근 병원에서였다.

"정신이 좀 드세요?"라는 마흔 무렵의 간호사가 링거를 봐주며 물었다

"어떻게 된 거죠?"

"전반적으로 영양 상태가 안 좋으세요 이거 영양제니까..."

그 순간 그의 머릿속은 선불로 타온 번역료 일부를 링거 값으로 날리게 됐다는 것뿐이었다.

그렇게 한 시간을 더 병원 침대에 누워있던 그가 비틀거리며 병원 유리문을 밀고 나서는 순간 그녀가 떠올랐다. 자기가 쓰러지기 직전 본 건 분명 이정희 그녀였는데 그녀의 눈 속에 눈동자가 없었다. 그렇게 텅 빈 그녀의 눈에 그는 정신줄을 놔버린 것이다...

고시원까지 죽자고 뛰어오는 내내 그의 머릿속은 그녀의 동공 없는 두 눈이 계속 아른거렸다. 그렇게 고시원 자기 방문을 열려는데 문이 열리질 않았다. 마치 안에서 문고릴 꽉 붙들고 있는 느낌이었다.

"당신이지?" 그가 낮게 중얼거려 보지만 안에서는 아무 대답도 없다. 그러더니 잠시 후 스르륵 저절로 문이 열렸다. 하지만 방에 들어가기가 싫어진 현우는 몸을 돌려 s의 방으로 향했다. 그렇게 두어 걸음 옮기는데 "왜 그랬어"라는 여자의 목소리가 들려왔다. 그가 잔뜩 겁을 먹은 얼굴로 고개를 돌려 보았을때 복도엔 아무도 없었다. 왠지 덥다는 느낌에 그가 창문으로 다가가 창을 열자 비를 품은 텁텁한 바람이 기다렸다는 듯이 들이닥쳤다. 그 바람을 깊게 들이마신 뒤 그가 돌아서는 바로 그 순간 그는 별이 반짝이는 느낌을 받고 휘청거렸다 . 분명 누군가 자신을 둔기로 내려쳤다 . 그런데 다시 보니 사람도 둔기도 없이 텅 빈 복도만 그의 눈에 들어왔고 자기가 왜 복도에 나와 있는지 기억조차 나질 않았다...아, s의 방에 가려고 했지,하고는 한걸음 떼려는데 다리가 천근만근 무거워 움직일 수가 없다. 그때 다시 "왜 그랬어"라는 그녀의 목소리가 들려왔다.

단지 커피 한잔을 나눠 마시고 싶었을 뿐이다. 이정희 그녀에게 그 이상의 감정이나 욕구는 없었다. 해서, 담배를 사고 남은 몇천 원을 그녀에게 내보이며 "이것 뿐인데 그쪽이 좀 보태서 커피 마실래요?"라고 용기를 내보았다. 그러나 그녀는 멀뚱히 쳐다보면서 경계하는 눈치였다.

"내 말은..."하고 그가 그녀에게 다가가자 그녀는 본능적으로 방어 태세를 취하더니 급히 자신의 휴대 전화를 주머니에서 꺼내 들었다. 그리고는 1을 누르는 게 현우의 눈에 들어왔다. 순간 그는 도망치듯 편의점을 뛰쳐나왔다.

그리고는 다음날 새벽 , 일을 마치고 나오는 정희를 뒤따라가 어둠 속에서 그녀의 목을 졸랐다. 그녀의 동공이 풀려버렸다. 죽은 그녀를 인근 공사장 폐자재 속에 묻어버리고 그는 고시원으로 돌아왔다. 그녀를 사랑했다거나 마음에 둔 것도 아니었다. 다만 커피 한잔 나눠마실 사람이 필요했고 그때 그녀가 나타난 것이다. 그래서 청했을 뿐인데...

커피를 나눠 마신다고 세상이 달라지는 것도 아니었다. 그렇다면 왜...라는 질문을 수도 없이 자신에게 던지던 현우는 아무 일도 일어나지 않는 자신의 삶에 염증을 느껴 고시원 복도 유리창을 활짝 열어젖혔다. 그리고는 어쩌면 저세상에서는 그녀와 커피를 함께 할지도 모른다는 생각을 하였다.

정희는 한동안 계속 안 보이는 그 젊은 남자 손님이 궁금해졌다. 후줄근해도 사람이 험해 보이진 않았는데...커피 한잔쯤은 같이 해도 됐을텐데,하는 미안함이 잠깐 스쳤지만 깊게 생각할 일은 아니었다. 몸이 아파 자기 대신 한동안 일을 보던 중년 남자는 자신이 복귀 의사를 밝히자 곧바로 해고되었다. 그렇게 다시 돌아온 편의점 바닥을 그녀는 쓸고 닦고 이어서 유리창까지 닦기 시작하는데 요란한 소리를 내며 앰불런스 한 대와 경찰차가 그 뒤를 따랐다. 골목은 웅성이는 사람들로 가득 메워졌다.

“고시원에서 누가 떨어져죽었대”라는 누군가의 말

이 정희에게 들렸다. 누굴까...

"젊다지?"하며 누군가 쯧쯧 혀를 차는 것 같았다.

인근 공사현장 폐자재 속에서 부패 돼 가는 신원 미상의 여자 시신이 발견된 건 그로부터 이틀 후였다. 성폭행이나 금품 갈취의 흔적은 보이지 않았고 목이 졸려 죽은 것으로 판명되었다.

<먼 그대>

서로 멀리 떨어져 있는 게 서로를 소원하게 만든다고 생각한 현영이 기현 가까이 이사 온 것도 벌써 한 달이 다 돼간다. 그러나 그와의 거리는 물리적 거리가 좁혀졌다고 줄어드는 게 아니었다... 거의 매일 만나려니 했던 그녀의 생각은 보기 좋게 빗나갔고 그는 오히려 그녀가 가까이 있다는 걸 부담스럽게 여기는 눈치였다.

기다리다 못해 "점심 먹을래? "라고 전화를 걸자 "니가 사는 거냐?"라며 퉁명스레 그가 대답을 해왔다. 만나서 먹어 봐야 만원 짜리 2인분 정도니 못 살 것도 없다 생각돼 그녀는 신경 쓴 차림으로 인근 대형 마트 앞 벤치로 향했다. 만나면 대부분 거기서 만나기 때문에 딱히 약속장소를 정하지 않은 게 화근이 되었다. 한참을 기다려도 기현은 나타나지 않았고 현영은 기분이 상해 전화를 걸자 통화중으로 나왔다.

그녀가 전화를 끊자 곧바로 기현의 전화가 걸려왔다.

"너 뭐 하는 애야? 한 시간씩 기다리게 해놓고. 간다 나"라며 그가 일방적으로 전화를 끊어버렸다.

대체 어디서 기다렸다는 건지 몰라 애가 탄 현영은 걸어서 10분 거리 기현의 빌라에 가보기로 하였다.

그러나 아무리 현영이 현관 초인종을 눌러대도 기현은 문을 열지 않았다. 사귄 지 2년이 되었으면 서로의 도어락 번호 정도는 알려주는 게 예사인데 기현은 그러질 않았다. '방해받고 싶지 않아서'라고 했던가.

그렇게 한참을 닫힌 문 앞에서 서성이던 현영이 포기하고 돌아설 즈음에야 둔탁하게 문이 열렸다.

"난 우리 늘 보던 거기서 기다렸지...자기가 식당가에 올라가 있을 줄은"

그 말에 기현의 얼굴이 일그러졌다.

현영은 일단 기현의 응어리진 마음을 풀어주기로 하였다.

"미안. 지금이라도"

"또 나가라고? 아 피곤해. 가라 그만"

"..."

"뭘 그렇게 봐?"

"나, 자기 가까이로 왔잖아"

"..."

"자주 보자 우리"

"내가 오라고 했어?"

그 말에 현영도 마음을 다치고 만다. 그 길로 기현의 집을 나와 그녀는 자신의 아파트로 향한다.

갑자기 강풍이 분다. 입고 있던 치마가 바람에 날려 그녀는 계속 치맛자락을 움켜쥐어야 했다... 그런 자세로 걷다 보니 짜증이 몰려왔다. 혼자라도 뭐 좀 먹고 들어 가야겠다 생각한 그녀가 , 기현이 한참 기다렸다는 그 대형 마트 식당가로 올라갔다. 뭘 먹나...하고 이리저리 둘러보던 그녀의 눈에 어디선가 " 이현영!"하고 부르는 소리가 들렸다.

아무리 시간이 흘렀어도 그 목소리의 주인은 금세 알아차릴 수 있었다. 결혼까지 갈 뻔했던 그...그러나 석진의 집안에서 결사반대해서 헤어진.

현영이 고개를 돌리자 석진이 환하게 웃으며 다가왔다. 흐른 세월이 있지...하고 현영도 애써 미소를 지었다.

"너 여기 사냐?"

"응...이사 온 지 얼마 안됐어"

"난 외근 나왔다가 출출해서... 점심이나 먹자"

"그럴까?"

그렇게 중화요리 집에 마주 앉자 둘은 비로소 어색하다.

헤어지던 순간 서로 애면글면 하던 그 젊은 날의 기억은 이미 봉인된 시간일 뿐이었다. 하지만 그 봉인된 기억 속의 그녀는 완전히 미친 여자였다. 온 세상이 자신을 희롱하고 배반했다고 여겼다. 세상의 모든 남자들이 다 자신에게 상처를 주기 위해 존재한다고 생각하였다.

"결혼은 했구?"라며 석진이 컵에 물을 따라서 그녀에게 준다

"아니 아직...석진씬 했지? "

"알잖아..."

그때 석진의 부모는 집안끼리 정해놓은 혼처가 있다며 현영에게 물러나라고 했다. 의사라고 했던 그녀...

"그 의사랑?"

"응...딸 하나 있어"

"그렇구나..."

"넌 왜 여태?"

"할 거야 곧"

"누가 있긴 있구나"

"응...“

이젠 이렇게 서로 무덤덤해졌다는 게 현영은 다행이면서도 한편 실망스럽기도 하였다.

그렇게 둘이 점심을 먹고 나서 일어나려는 찰나 현영의 눈에 기현의 모습이 들어왔다

"어?"하더니 기현은 현영의 테이블로 와서는 의심 가득찬 눈길을 보낸다.

"여긴 어떻게? 밥 먹으러?"라는 현영의 말에 기현은 대답을 않더니 그대로 홱 몸을 돌려 나가버린다.

"아는 사람?" 석진이 냅킨으로 입가를 닦으며 묻는다..

"내 남친. 여기 살아"

"아...그래서 너도 가까이 온 거구나"라며 석진이 웃는다.

"근데, 오해한 거 같은데 어뜩하냐?"

"나좀 먼저 가볼게"하고 그녀가 먼저 일어선다.

그 길로 중화요리집을 나온 현영은 계속 기현에게 전화를 걸었지만 전화는 벨만 울려댔다...

아무리 화가 나도 전화든 문자든 기현의 연락은 제때제때 받고 답을 하는 현영과 달리 기현은 심사가 틀어지면 몇날 며칠이고 침묵으로 응대하곤 하였다. 그리되면 십중팔구, 원인 제공을 누가 했든 현영 쪽에서 먼저 머릴 수그리고 들어갔고 그러면 기현도 조금씩 마음을 풀곤 하였다.

이번에도 그가 화가 나서 전화를 피하려니 한 현영은 어떻게든 빨리 그를 찾아내야겠다는 생각에 식당가 모든 음식점을 들여다본다. 하지만 기현은 이미 그곳을 떠났는지 보이질 않는다...

그러자 현영의 온몸에서 힘이 다 빠져나간다. 그리고 공들여 하고 나온 화장도 이미 땀으로 엉망이 돼버렸다. 이렇게 돌아다니다간 미친 여자 취급을 받겠다 싶어 그녀가 여자 화장실로 들어설 때 맞은편 남자 화장실 쪽에서 비명 소리가 들렸다. 순간, 불길한 예감이 그녀를 스치고 갔다.

그녀가 여자 화장실에 들어설 즈음 들려온 비명 소리는, 옆 남자 화장실 용변 칸에 목을 매달고 죽어있는 기현의 시신을 발견한 사람이 낸 소리였다.

그는 왜 죽었을까? 그녀는 곰곰 생각해보았다. 기현은 그녀에게 거의 마음을 주지 않았다. 그런 그가 석진과 마주 앉아 있는 현영을 봐서 상처나 배반감에 목을? 납득이 가지 않았다. 이후로 그녀는 계속 혼란에 빠져지냈다.

더 이상 기현도 없는 낯선 곳에 살 필요가 없어진 현영이 다른 곳에 집을 계약하고 짐을 꾸리던 어느 날 밤이었다. 포장이사를 하기로 하였지만 그래도 주인이 챙겨야 하는 것들이 꽤 있어서 그 짐을 꾸리는데 가위가 보이질 않았다.

어디다 뒀지? 하고 그녀가 가위를 찾아 두리번거리는데 "이거 찾니?"라는 기현의 목소리가 들렸다. 설마...하고 돌아본 그녀의 눈에 저만치 놓여있는 가위가 들어왔다. 기현씨? 하고 그녀는 집안 여기저기를 둘러본다. 하지만 이미 죽어 화장까지 해버린 그가 있을 리가 없었다. 그녀는 순간, 자신이 환청을 들었다 생각하고 짐을 마저 싸려는데 주르륵 눈물이 흘러내렸다. 기현씨...그렇게 가는게 어딨어,라며 밤새 그를 그리워하며 울었다.

그렇게 퉁퉁 부운 눈을 하고 다음 날 점심을 먹으러 나올 때 "나 배고프다"라는 기현의 소리가 또 들려왔다. 하지만 현영은 이번엔 돌아보지 않았다. 이런다고 하였다. 근친이나 배우자의 죽음을 당하면 한동안은 환청, 환시, 환각을 경험하는 경우가 있다고. 해서 그녀가 그 소리를 무시하고 단지 안 분식집 문을 열려는데 문 손잡이를 잡는 그녀의 손을 움켜쥐는 손이 보였다. 기현의 손이었다...가 그만 . 이젠 쉬어 편히. 하고 그녀가 그 손을 자기 손에서 떼어내려 하자 그 손에 악력이 가해지며 그녀를 잡아끌었다. 이러지 마! 하고 그녀가 그 손을 뿌리치려 하였지만 결국에는 어딘가로 질질 끌려가고 있었다.

작긴 해도 인프라는 제대로 갖춰진 이런 동네에 이런 후미진 곳이 있다는 걸 그녀는 알지 못했다 .
현영이 기현의 손에 이끌려 온 곳은 폐가나 다름없는 오래된 집들이 늘어선 곳이었다. 현영은 오싹 한기를 느꼈다. 그제야 그녀는 기현이 옆에 없다는 걸 알아챘다. 그렇다면 여기까지 자기는 무엇에 홀려 왔다는 걸까? 그녀가 혼란스러워하는데 갑자기 뒤에서 쿵, 소리가 났다. 놀란 그녀가 홱 고개를 돌리자 바로 자기 뒤에서 벽이 무너져내렸다. 하기사 늘어선 빈집들의 상태가 언제라도 무너져 내릴 수 있음을 말해주긴 하였지만...

어서 이곳을 빠져나가야겠다는 생각에 그녀가 한 걸음 내딛자 이번엔 어디선가 여자의 자지러지게 웃는 소리가 들려왔다.

"누구야!"라고 현영이 소리치자 그 웃음소리는 조금씩 사그라 들었다 . 현영의 온몸에서 식은땀이 흘렀고 사지가 마비되는 듯 심하게 저려왔다.

"가라고 했잖아 이제 그만!"이라고 그녀가 소리치는데 밖에서 세찬 비가 내리기 시작했다. 아직 강풍이 가시지 않아 비는 바람을 타고 사선으로 들이쳤다. 그 비에 그녀는 온몸이 다 젖었다. 그녀는 벌벌 떨었다...그러는데 그 앞을 지나던 취객 하나가 힐끔 안을 들여다본다. 현영은 본능적으로 허물어진 벽의 잔해를 집어 들었다. 남자는 헤실대며 그녀에게 다가왔다.

경찰이 현장에 도착했을 때 취객은 이마에 피를 흘리고 쓰러져있었다. 그 옆엔 망연자실 주저앉아있는 현영이 있었다. 이미 그녀의 두 눈은 초점이 없었고 경찰이 묻는 말에 그녀는 아무 대답도 하지 않았다. 남자는 들것에 실리는 순간 숨을 멎었다.

정당방위가 인정돼 풀려난 현영은 오랜만에 자기 집으로 돌아왔다. 제일 먼저 눈에 들어온 건 이사가기 위해 싸다만 짐 꾸러미였다. 가위...그 가위가 저만치 그 자리에 그대로 놓여 있었다... 기현이 찾아준 그 가위...

"미안해 기현씨..."하며 그녀가 울먹였다.

현영의 2년에 걸친 스토킹을 피해 여기까지 도망왔지만 현영은 기어코 기현을 찾아내 이곳으로 이사를 왔고 하루 걸로 밥을 같이 먹자, ott 영화를 같이 보자며 전화를 걸어왔다. 기현은 한 번만 더 그러면 경찰에 신고해야겠다는 마음에 그녀를 만나러 대형마트 식당가로 갔지만 그녀는 나타나질 않았다. 그리고는 마트 앞에서 만나기로 하지 않았냐고 근거없는 이야기를 중얼거렸다. 그런 그녀를 집에서 내쫓은 뒤 한숨 돌리는데 갑자기 그녀가 불쌍하게 여겨졌다. 정신도 온전치 않은 여잔데...하는 생각에 그녀를 뒤쫓아 간 기현은 그녀가 중화요리집에서 웬 남자와 마주 앉아있는 걸 보았다. 뭐야 이여자...하는 마음에 살짝 질투가 이는 걸 느낀 자신이 우스웠다. 스토커와 사랑에 빠진다는 게 이런 걸까, 하며 인근 화장실로 향하는데 자신의 머릴 강타한 게 있었다. 분명 둔기였다. 정수리를 가격당한 그는 그 자리에서 숨이 멎었고 그런 그를 석진과 현영이 자살로 위장했다...손님이 몰리는 타임이 아니어서 식당가 한구석에서 그런 일이 벌어진 걸 목격한 이가 없었다.

기현의 염까지 다 지켜본 현영은 이제야 그가 온전히 자신의 것이 되었다고 생각했다.

"하도 애원을 해서 제가 거들었습니다"라고 석진은 뒤늦게 경찰에 진술하였다.

석진의 진술에 다급히 들이닥친 경찰이 현영의 집에서 본것은 집안 여기저기 나뒹구는 그녀의 것으로 추정되는 머리카락들이었다. 그리고 그 가위가 한가운데 놓여있었다.

경찰은 그녀를 찾기 위해 집안 곳곳을 뒤졌지만

어디에도 없었고 혹시나 하는 마음에 아파트 옥상까지 올라갔지만 그녀가 숨어있거나 투신한 흔적은 없었다...

이러다 미제 사건으로 남을 수도 있다는 생각에 경찰은 사라진 현영의 신원을 확보하기 위해 혈안이 되었다.

이른 새벽, 낚시를 하던 초로의 남자가 건져 올린 건 물고기에게 두 눈이 파먹힌 젊은 여자의 시신이었다. 머리카락이 엉망으로 잘려 나간...

<피크닉>

해진은 아무래도 이번 기회를 잘 잡아야겠다 생각한다. 별거 중인 남편 윤석과 재결합할 수 있는 기회일지 모른다는 생각이 든다.

해서 해진은 이른 아침부터 아직 잠에 빠져 있는 딸 경을 흔들어 깨운다

"왜..."라며 경은 모로 돌아눕지만 그런 경의 엉덩일 찰싹 때리며 해진은 아이를 깨운다.

아이는 식탁앞에서도 꾸벅꾸벅 졸았다.

그야말로 밥이 입으로 들어가는지 코로 들어가는지도 몰랐다.

"너 정신 안 차려!"

따끔한 해진의 말에 아이는 움칫한다.

"오늘, 진짜 아빠랑 어디 가?"

아이는 그제야 두 눈을 비비며 잠을 떨치려고 한다.

"응. 조금 있음 아빠 와"

"인제 그럼 아빠랑 같이 살아?"

그런 말을 하는 아직 어린 딸이 해진은 안쓰럽다. 해서 아이의 앞머리를 가지런히 해주며 "응...그렇게 될거야"라고 그녀는 대답한다.

해진과 윤석은 사내 커플로 만나 몰래 데이트를 하다 해진이 혼전임신을 하는 바람에 서둘러 결혼하고 해진은 퇴사를 했다. 그리고는 경을 낳고 내내 집안에만 갇혀 사는 '경단녀'가 되다 보니 어느 날 자신이 이러려고 대학을 나왔나 하는 생각이 들었다. 그때부터 집안 일이 시들해지고 해도 해도 티도 나지 않는 것에 화가 나서 남편 윤석에게 짜증을 내었다. 처음엔 허허 웃어넘기던 윤석도 어느 순간부터인가는 맞짜증을 냈고 사소한 일로 둘은 자주 다투게 되었고 '여자가 집에서 애나 잘 키우면 되지!'라는 말은 그의 가부장적 근성에 쐐기를 박는 역할을 하였다. 그러다 둘은 급기야 '이혼'을 언급했지만 그래도 아이를 봐서 일단은 별거를 하기로 합의를 보았다.

그렇게 반년이 흐르다 보니 해진은 슬슬 위기감을 느꼈다. 그렇다고 사회로 돌아가길 포기한 건 아니지만 일단 가정만이라도 온전히 되돌려놔야겠다는 생각이 들었고 힘들게 '가족 소풍'을 윤석에게 언급했다. 그도 비슷한 심정이었는지 '그러지 뭐'라고 싫은 내색을 하지 않았고 그렇게 오랜만에 셋은 피크닉을 가게 되었다.

지난밤 ,예보에도 없던 비가 뿌려 해진은 내내 소풍이 무산될까 걱정하며 잠을 이루지 못했지만 새벽부터 비는 점점 잦아들었고 아침이 되자 비 온 뒤의 청명함이 선선한 바람까지 몰고 와서 나들이하기에 더욱더 적합한 날씨가 되었다. 날씨마저 돕는다 생각하니 윤석과의 재결합에 그린라이트가 켜진 느낌이었다.

그렇게 들뜬 마음에 해진은 딸 경을 서둘러 샤워시키고 머리까지 감겼다. 그리고는 헤어드라이어로 급히 머리를 말려주는데 아이가 문득 "엄마 , 그렇게 좋아?"라고 물었다. 아이에게 자신의 감정을 들킨 게 조금은 창피했지만 딱히 틀린 말도 아니어서

"응 좋아"라고 그녀는 대답했다.

윤석은 아파트 동 앞에 바싹 차를 갖다 대고 기다리고 있다. 지난밤 윤석도 내리는 비를 보며 해진과 똑같은 걱정을 하였다. 남자 혼자 원룸 오피스텔 생활을 한다는 게 여간 불편한 게 아니었고 딸 경을 낳고는 해진이 자기를 멀리했지만 그래도 보름에 한 번 꼴로 가졌던 섹스가 그립기도 하였다. 그러다 보니 빨리 합쳐야겠다는 생각이 들곤 했다. 하지만 먼저 말을 꺼내려니 자존심이 상하고 굽히고 들어가는 거 같아 이른바 '기싸움'을 하고 있던 중이었다.

그렇게, 그가 자신의 suv 주위를 서성이는데 "아빠!"하는 딸의 목소리가 들려왔다. 순간 그는 홱 몸을 돌려 자신에게 달려드는 딸을 번쩍 안아 올렸다. 그 뒤에서 해맑게 미소짓는 해진이 보였지만 뭐라 말을 하진 않고 차 뒷좌석에 경을 태웠다. 그러자 해진이 자연스레 조수석에 올랐고 마지막으로 윤석이 운전석에 앉아 페달을 밟아 아파트 단지를 천천히 빠져나갔다.

딸 경은 '따라오지 마!"라며 곧 죽어도 혼자 '쉬'를 하고 오겠노라며 다 큰 아이티를 냈다. 하긴 여섯 살이면 다 컸지 뭐, 하며 윤석이 태연한 척은 하지만 얼굴엔 걱정의 빛이 역력했다. 아이도 이제 남의 눈치를 제법 봤고 해서 대변이 급한 걸 그냥 쉬가 마렵다고 말했을 수도 있고 그래서 시간이 걸리는 거겠지 하던 해진의 표정에도 그늘이 드리우기 시작했다.

아이가 덤불 숲으로 들어간 지도 10여분이 넘었다. 아무리 대변을 본다 해도 이건 너무 오래 걸린다는 생각에 부부는 거의 동시에 자리를 박차고 일어나 딸을 찾기 시작하였다.

숲은 빽빽하게 나무가 들어차 있고 길은 생각보다 험준했다. 아이 이름을 부르며 숲을 아무리 뒤져도 아이는 대답도, 나타나지도 않았다. 금세라도 '엄마 아빠'를 외치며 숲에서 뛰어나올 것만 같은 아이가 감감무소식이다.. 그렇게 헤매던 해진은 기어코 울먹이기 시작했다.

"여보..."

그러자 윤석은 해진을 다독이며 진정시키려 한다.

"별일 없을 거야. 좀 깊숙이 들어갔나 보지. 당신 여깄어. 내가 갔다올 게"라며 덤불을 헤치며 그가 들어간다. 쳐다보던 해진이 그의 뒤를 따르려는데 갑자기 위에서 뭔가가 툭 떨어졌다. 놀란 해진이 꺅! 비명을 지르자 저만치 가던 윤석이 돌아보았다.

해진의 바로 앞에 떨어진 건 길이 1미터쯤 돼 보이는 실뱀이었다. 해진은 다가온 윤석의 품에 달려들었다.

"당신은 텐트에 가 있어"라며 그가 나뭇가지로 실뱀을 집어 멀리 던져버린다.

"같이 가"라며 해진이 윤석의 손을 잡았다.

그렇게 부부가 점점 숲 안쪽으로 들어가는데 어디선가 "엄마!"하고 부르는 딸 경의 소리가 들려왔다. 딸의 목소리에 반색하며 부부가 소리난 쪽으로 달려갔지만 그 자리에 경은 없었다. 그러는데 이번엔 다른 쪽에서 "아빠!"하고 부르는 소리가 들렸다....

순간 부부는 오싹해졌다.

어느새 산엔 어둠이 깃들기 시작했다. 몇시간 째 딸 경을 찾아 헤매던 부부도 지칠대로 지쳐 바위 턱에 걸터앉아 숨을 고른다. 해진은 울고 있다..

"분명 경이 소리였어. 틀림없어"

"환청 아니겠지?"

"아니야 . 분명 경이였어...당신은 여깄어 "라며 윤석이 혼자 저벅저벅 더 깊이 들어간다.

그렇게 밤이 올 때까지 해진은 망연자실해서 부녀를 기다렸지만 둘의 모습은 그림자도 비치지 않았다. 그녀는 휴대전화 플래시에 의지해 숲 여기저기를 헤집고 다녔다. 딸에게, 남편에게 전화를 아무리 해대도 산이어서 그런지 연결이 되지 않았다. 그러다 보니 자신의 폰 배터리가 달랑거리고 있었다. 배터리를 남겨둬야 한다는 생각에 그녀는 폰을 끄고 어둠을 더듬어 나아갔다. 다리가 긁혀 피가 났고 얼굴이 나뭇가지에 스쳐 따가웠다. 하지만 그런 게 뭐 대수랴 . 아이와 남편만 찾을 수 있다면...

저만치 울창한 나무들 위로 별이 보이기 시작했다...그러다 해진마저 길을 잃고 숲의 미아가 되었다. 아이에게 더 좋은 엄마가 돼줄걸. 사회 복귀가 뭐 그리 급해서 남편 윤석을 닦달했을까, 하는 후회가 마구 밀려왔다. 탈진한 그녀가 힘겹게 걸음을 내딛다 다리가 꺾이는 순간 어디선가 여자의 울음소리가 들려왔다. 여자의 소리는 산을 타고 에코를 만들어 쩌렁쩌렁 울려댔다. 해진은 극심한 공포에 나무 뒤로 숨었다. 그런다고 숨어지는 게 아니라는 걸 알면서도 본능적으로 그렇게 몸을 피했다. 그러고 있는데 뒤에서 나뭇잎을 가르며 누군가 다가오는 기척이 느껴졌다. 해진은 얼굴의 식은땀을 손등으로 닦아냈다. 그리고는 옆의 굵은 나뭇가지를 집어 들었다. 그녀는 다가오는 소리에 귀를 곤두세웠다. 그런데 다가오던 발소리가 갑자기 딱 끊어지더니 여기저기서 밤새가 날아 올랐다. 그러자 나뭇잎들이 우수수 낙엽처럼 떨어져 내렸다. 밤새들은 저 멀리 별을 향해 날아갔다...

정신을 잃은 해진을 깨운 건 여자의 손이었다. 어두워서 그녀의 얼굴은 보이지 않았지만 그녀의 손에서는 심한 냉기가 전해졌다. 해진의 온몸에 오싹한 한기가 흘렀다.

"누구...세요?" 라는 해진의 질문에 "제 손을 잡아요"라는 저음의 여자 목소리가 들려왔다. 여자의 음역대가 아닌듯한 그 소리에 해진은 앉은걸음으로 물러났다. 여자는 한참을 우두커니 그렇게 서 있더니 서서히 몸을 돌려 가기 시작했다. 그녀가 어둠 속 한점 실루엣으로 남을 즈음 , 해진은 아무래도 그녀가 딸과 남편의 행방을 알고 있다는 생각에 비틀비틀 그녀를 따라갔다. 그렇게 서로 보조를 맞추게 되자 해진이 물었다

"딸애랑 남편은 어딨죠?"

"잠들었습니다"

그 말이 곧 '죽었다'는 얘기로 들린 해진은 순간 여자의 목을 두 손으로 움켜쥐었다.

"어떻게 했어. 내 남편이랑 내 딸! 니가 죽였어?" 라고 소리치자 숨을 헐떡거리며 상대가 말했다. "나

를 꺼내줘요"라고...

그 말에 해진은 두 손을 상대의 목에서 거두고 찬찬히 그녀를 보았다 . 마침 나무 사이로 달빛이 새어들어 그녀의 얼굴을 볼 수 있었다. 그녀의 얼굴은 희다못해 창백했고 나이는 자기 또래였다. 젊은 여자가 무슨 일로...하는데 그녀가 다시 애원한다 "나를 좀 꺼내줘"라고...

그리고나서 여자는 다시 걷고 시작했다.

해진과 윤석, 딸 경아는 다음날 정오 무렵, 구조대에 의해서 발견되어 병원으로 이송됐다 . 앰블런스에 실리면서 해진은 막연하게 이제 살았다는 걸 감지했다. 구급대원 옆에 나란히 앉은 딸과 윤석을 보며 그녀는 안도했다. 경은 해진이 눈을 뜨자 "엄마!" 하며 울먹였다. 그런 딸을 달래며 윤석이 "괜찮아" 라고 다독이는 걸 보면서 이제 비로소 온전한 가족으로 돌아왔음을 확인한다...

그렇게 앰블런스는 빛의 속도로 인근 대학병원 응급실로 향했다.

해진이 숲에서 창백한 그녀를 따라 간 곳은 작은 폭포 근처였다. 그제서야 해진은 일의 전말을 파악했다. 그녀는 변심한 남자에게 폭포 아래로 떠밀려 죽은 원혼이었다. 그녀는 아직도 물속 어딘가에 잠겨있는 것이었다.

"꺼내줄게요. 내 아이랑 남편을 돌려줘요"라는 해진의 말에 상대는 "꼭요"라며 애원을 하였다. 해진은 자신의 휴대폰 배터리가 다 돼 가는 걸 깨닫고 서둘러 112에 전화를 걸었다. 전화는 여전히 연결되지 않아 해진은 여기저기 신호가 잡히는 곳을 찾아 헤매다 간신히 연결을 해서 익수자가 있다는 신고를 하였다. 그러고나자 여자는 고맙다며 손으로 저만치를 가리켰다 . 그 곳에 약간의 찰과상만 입은 경과 윤석이 누워있었다. 해진이 다급하게 다가가 둘을 흔들자 둘은 달콤한 꿈이라도 꾼듯한 얼굴로 눈을 떴다. 그렇게 세 사람이 감격의 재회를 하고 나자 그제서야 해진은 조금 전 그녀가 생각나 다시 그 자리로 가 봤지만 그녀의 흔적은 어디에도 없었다.

응급실에서 간단한 처치를 받고 나오는데 병원 복도에 비치된 tv에서 "산속 실종녀, 익사체로 발견"이라는 문구가 해진의 눈에 들어왔다. 그리고는 경찰과 구조대원들이 물에서 여자의 시신을 들것에 옮겨 싣는 광경이 나왔다. 물끄러미 화면을 들여다보는 해진의 팔을 윤석이 끌며 어서 가자고 하였다. 딸 경은 윤석의 품에서 새근새근 잠들어있다.

그렇게 세 식구는 윤석의 suv에 올라타 서서히 병원을 빠져 나간다.

그 뒤를 여자 그림자 하나가 뒤따랐다... 그림자는 한참을 더 따르다 어느샌가 스르르 사라져버렸다.

그리고 며칠 후, 그녀를 살해한 변심한 남자의 얼굴이 tv 화면을 가득 메웠다.

해진은 다시 비가 내리는 창밖을 보며 이제 곧 퇴근할 윤석을 위해 그가 좋아하는 매운탕을 끓이기로 한다.

<아늑한 집>

소영은 첫눈에 이 집이 마음에 들었다. 공실에 깨끗이 수리가 돼 있어 구축아파트라고는 여겨지지 않았다. 하지만 남편 원준은 조금은 망설이는 눈치다.

"보셨을때 하세요"

옆에서 중개업자가 부추긴다.

"여보, 하자 그냥 "

그러자 원준이 중개업자에게 말한다. "혹시 사람 죽은 집은 아니죠?"

그 말에 중개업자가 뜨악해하더니 "젊은 분이 별걸 다 따지네...그렇게 치면 사람 죽은 집 아닌 데가 얼마나 될까요? 아이구 참...아니예요. 신혼부부가 살다가 부자 돼서 나간 집이예요. "라며 소영을 거드는 눈치다.

그 말에 원준은 "아, 예..."하면서도 조금만 생각해보고 연락하겠노라 한다.

"그러다 놓치면 어떡해"라고 돌아오는 길에 소영이 툴툴대자

"이상하잖아. 아무리 싸게 나와도 시세라는 게 있는데...게다가 수리까지 다 해놓고"라며 원준이 차선을 바꾼다.

"치..."하며 소영이 창밖으로 눈을 돌린다.

밖은 완연한 봄이었다. 올듯말듯 하던 봄이 드디어 온 세상을 알록달록 물들이고 있다. 이러다 보면 벚꽃도 피겠다...

"우리 이사하면 강아지 한마리 키울까?"

소영의 머릿속은 조금 전 보고 온 그 집으로 가득했다. 그리고 벌써 계약해버린 느낌이다.

"다른 데도 좀 보고 결정하자"라며 원준은 선약돼있는 다음 중개업소로 향한다.

결국 소영의 채근과 원준도 밑져야 본전이라는 생각이 수리된 그 집을 계약하게 만들었다.

"잘 생각했어요. 안 그래도 다른 데서 연락 오고 그랬는데 내가 신혼부부가 할 거 같다고 했어요"라며 중개업자는 빤히 보이는 거짓말을 하였다.

집주인으로 보이는 남자는 30대 중후반 정도의 삶의 기반이 잡힌 느낌을 주는 사람이었다.

"여기 살기 좋습니다. 산도 있고 물도 있고...서울에 이만한 데 없죠 이제"라며 조금 아쉬운 척 한다.

"와이프가 기관지가 안 좋았는데 여기서 싹 다 낳아서 갔어요. 매일 등산하고 그랬거든요"라며 그가 덧붙이자

"여기 공기 하나는 끝내줍니다"라며 중개업자가 거든다.

그렇게 일사천리로 진행된 계약을 마치고 집을 한 번 더 볼 수 있겠냐는 원준의 말에 집주인은 그러라며 양해를 해주었다.

그렇게 소영과 원준은 약간 언덕에 있는 그 아파트로 다시 향했다.

"숨차..."라며 소영이 헉헉거리자

"니가 좋다고 해서 한 계약이야"라며 원준이 쐐기를 박았다.

그렇게 들어선 그 집은 여전했다. 작은 공간에 용케도 방 세개를 뺐고 거기다 침실욕실을 별도로 낸게 앙증맞고 쓸모 있었다. 게다가 온통 화이트 일색인 대부분의 인테리어를 벗어나 과감히 그레이 톤과 베이지 톤으로 간 게 무척 세련된 느낌을 주었다.

소영은 "여긴 우리 침실, 여긴 당신 서재, 그리고 여긴 손님방" 하며 이미 이사를 와버린 것처럼 굴었다.

"파기하면 계약금 다 줘야 되나?"라는 원준이 불쑥 던진 말에 소영이 이마를 잔뜩 찌푸린다. 재수없게...

그렇게 이사가 정해지자 소영은 지금 셋집에서 쓰던 물건들은 과감히 버리고 가자고 닦달을 하였다. 버리면 다 돈이라고 아무리 원준이 만류해도 소영은 이미 배송예정일까지 지정해 새집으로 가구들을 주문했다. 니가 다 책임져,라며 원준이 타박을 줘도 소영은 연신 싱글벙글이다.

"화장실좀 써도 될까?"라며 원준이 배가 아픈 눈

치다.

"얼른 눠"라며 소영이 욕실 문을 연다. 욕실도 깨끗이 수리돼 있어 볼수록 기분이 좋다. 요즘 둘은 부동산엔 연락도 않고 그 집을 수시로 드나들고 있다. 하기사 중개업자가 알려준 도어락 비번의 의미가 원할 땐 언제든 와서 보라는 게 아닌가.

그렇게 원준이 욕실로 들어가 문을 닫고 용변을 보는 동안 소영은 앞뒤 발코니를 살펴보며 세탁기를 어디에 둘까를 고민한다. 앞 발코니에도 수도가 달려있어 여기서 써도 되나보다, 하고는

"자기야. 이 집 넘 편하다"라고 소리치지만 욕실에서는 아무 대답이 없다.

"아직두야? 그래서 내가 야채 많이 먹으라고 했잖아"라며 그녀가 욕실로 다가가서 노크를 해도 아무 반응이 없다.

순간 그녀는 불안한 느낌에 욕실 문을 열어젖혔다. 그러자 타일 바닥에 원준이 거품을 물고 쓰러져 있었다.

앰뷸런스 안에서 응급처치를 받을 때까지도 원준

은 의식이 없었다. .그리고는 응급실에 도착해 갖가지 처치를 받고서야 그는 겨우 눈을 뜨더니 주위를 둘러보았다. 그의 눈에 잔뜩 걱정어린 소영의 얼굴이 들어왔다.

"그 집 안된다고 했잖아"라고 원준이 말한다.

"뭘, 봤어 그 안에서?"소영이 잔뜩 겁먹은 얼굴로 묻자

"파기해. 나가는 대로 계약 파기해"라며 원준은 강하게 나왔다.

그날 원준이 욕실에서 본건 욕실 선반에 목을 맨 여자의 시신이었다. 원준이 용변을 다 보고 바지 지퍼를 올리는 순간 그녀가 눈에 들어왔다. 그녀의 얼굴은 이미 부패해서 알아보지 못할 정도였다. 원준은 소리치려 하였지만 말이 나오지 않았고 그대로 거품을 물고 쓰러져버렸다.

병원에서 나와 차를 몰고 집으로 향하며 원준이 소영에게 그 이야기를 하자

"당신이 그 집 내켜하지 않으니까 헛것을 본 거지 뭐"라며 그녀가 애써 무시하는 태도를 보였다.

"정신 차려! 아무리 그래도 시세라는 게 있는데"

"요즘 시세가 어딨어. 급한대로 파는거지"라며 그녀는 그래도 그 집을 고집하였다.

그 말을 듣자 원준은 진짜 자신이 헛것을 봤을 수도 있다는 생각이 들었다.

그래서 그 다음 날, 그는 퇴근을 그 집으로 했고 욕실로 직행하였다. 욕실은 아무 이상도 , 목을 맨 여자도 없이 깨끗하였다. 내가 신경이 예민했나,하고 그가 나오려는데 여자의 흐느낌이 들려왔다. 그가 돌아보자, 어제 그 자리에 목을 맨 그녀가 또다시 매달려있다. 그런데 부패한 그녀의 입이 울먹이고 있었다.

원준이 욕실에서 뛰쳐나오려 하자 그녀가 "제발..." 이라며 애원하였다.

아무래도 이 집에 무슨 일이 있었다는 생각에 원준이 용기를 내서 그녀에게 다가갔다.

소영은 야근한다며 늦게 들어온 원준의 행동이 아무래도 이상하기만 하였다. 아무 말도 않고 씻지도 않고 출근 복장 그대로 피곤하다며 잠자리에 들지를 않나, 그래놓고는 밤새 잠못 이루고 뒤척이질 않나...

그러더니 다음 날 아침 해가 밝기도 전에 출근한다며 나가버린 것도 이상했다.

이삿짐을 싸던 소영은 일이 손에 잡히질 않았다. 꼬치꼬치 캐묻는 걸 질색하는 남편이라 묻지도 못하고 전화를 할까 하다가 일에 방해 되는 것도 싫어해서 하지도 못하고 그녀는 끙끙댔다.

그렇게 하루 종일 심란해하던 그녀에게 그 집을 소개한 중개업자로부터 전화가 걸려왔다.

"집주인은 법대로 한답니다:"라는 말에 소영은 무슨 뜻인지 알 수가 없다.

"계약금 전부 떼이는 거 아시죠? 해약하면?"이라고 중개업자가 볼멘소리를 한다.

"아뇨. 해약 안 했는데"라고 그녀가 덧붙이려는데 전화가 딱 끊겨 버린다.

그날 밤 자정이 다 돼서야 술에 만취해 원준이 들어오더니 또다시 옷도 벗지 않고 침대로 들었다.

"당신 그 집 해약했어?"

"응."하고 그는 등을 보이고 모로 돌아눕는다.

"왜..."하며 그녀가 흔들자

"느낌이 안 좋아 아무래도"라며 그는 잔다고 건드리지 말라고 한다.

"계약금이 얼만데.."

"그래도 흉가에 들어가 사는 거보단 낫잖아!"라며 그가 발끈해서 일어난다.

"흉가라니?""

"아 몰라몰라.."하고 그는 베개를 끌어안고 침실에서 나가 거실 소파로 향한다.

그제야 소영은 이번 이사가 물거품이 된 것을 인정했다.

이후로 원준은 야근이나 특근을 핑계로 자주 늦거나 하지 않던 외박을 하곤 하였다.

그 이유를 물으면 그는 통명스레 "뭘 알려고 해?"라며 화를 내서 소영은 더 묻지도 못했다.

안 그래도 빠듯한 벌이에 계약금 수천을 날리고 나니 소영은 앞날이 막막했다.

"뭐 먹구 살아 우리?"라고 하면 원준은 들은 척도 안했다.

"당신을 기다렸어...이렇게 우리가 다시 만나게 될 거라고 생각했어"라며 욕실에 목을 맨 희정은 담담하게 원준에게 말을 했다.

"너였구나...희정이 , 너..."

"그래. 당신이 무참히 짓밟고 버린 나 희정이야. 강희정"이라며 그녀가 여전히 공중에서 대롱거리며 말을 했다.

그러자 원준은 두 손에 얼굴을 묻고 흐느끼기 시작했다.

"그러지 말았어야지...당신 애까지 가진 여자를 어떻게"라며 희정의 부패한 얼굴로 눈물이 흘러내렸다.

"그땐...그땐 다른 방법이 없었어. 니 집 형편이 너무 안 좋았잖아. 지병으로 10년 넘게 누워 계시는 홀어머니, 그리고 니 장애 동생...너한텐 얘기 안했지만 집에서 반대가 너무 심하셨어"

"난 아무것도 모르고 그날도 당신 기다렸어. 까페 문 닫을 때까지 우유를 다섯 잔이나 마셔가면서"

"미안...할 말이 없다. 그렇다고...그렇다고 이렇게"

"당신이 오지 않는다는 걸 알고 난 차에 뛰어들었지. 하지만 부딪치진 않았어. 그냥 기절해버렸고 그때 운전하던 사람이 지금 남편이야

"..."

"내가 사연 있는 여자라는 걸 알면서도 그는 묵묵히 나를 받아줬어. 그리고 잘살고 싶었는데...되지가 않았어. 당신한테 버려졌다는 생각에..."

"바보.."라며 그는 그녀의 목에 감겨있는 수건 끈을 걷어냈다. 그러자 그녀의 하중이 고스란히 그에게로 전해지면서 그녀는 온전히 그의 것이 되었다. . 그리고 그는 약속했다. 네게 돌아오겠다고.. 돌아와 너와 살겠다고.

그리고는 퇴근하면 곧바로 그녀에게 달려갔고 그러면 둘은 같이 저녁을 먹고 함께 잠을 잤다. 그리고는 밤이 깊으면 그는 소영에게로 오곤 하였다...

어느 날 소영을 "희정"이라고 부른게 결국 사달이 났고 소영은 그동안의 전말을 알게 되었다.

"그럼 죽은 여자와...시신과 동침을 했다는 거야?" 라며 기겁하는 소영에게 그가 그동안 준비한 말을 했다. 이혼하자고.

"미쳤어...미쳤어 니들 둘 다" 하고 그녀가 발코니 쪽으로 뒷걸음을 친다.

세가 싼집을 구하겠다고 새시가 없는 집을 고른 것도 소영이었다. 난간턱은 고작 50센티도 되지 않았다.

원준은 점점 더 그녀를 발코니 쪽으로 몰아갔다. 하늘의 달빛은 그날따라 눈이 부실만큼 환하게 빛이 났다.

강변의추억

발　행 | 2024.5.15
저　자 | 박순영
펴낸이 | 로맹
펴낸곳 | 로맹
출판사등록 | 2023.12.14
주　소 | 서울특별시 성북구 보국문로 30길15
이메일 | jill99@daum.net

ISBN | 979-11-93896-09-9
정가 | 13000원

www.romainpublish.modoo.at